CONQUI$TA
Tu RIQUEZA
FINANCIERA
EN 21 DÍAS

CONQUI$TA *Tu* RIQUEZA FINANCIERA
EN 21 DÍAS

Un plan efectivo
para que estés
financieramente
en forma y te conviertas
en una persona
próspera y exitosa

ALEXANDRA RAMÍREZ

Güipil PRESS

Publicado por
Güipil Press
Miami, FL 33021
Derechos Reservados

Esta publicación contiene las opiniones e ideas de su autor. Su objetivo es proporcionar material informativo y útil sobre los temas tratados en la publicación. Se vende con el entendimiento de que el autor y el editor no están involucrados en la prestación de servicios financieros, de salud o cualquier otro tipo de servicios personales y profesionales en el libro. El lector debe consultar a su consultor financiero u otro profesional competente antes de adoptar cualquiera de las sugerencias de este libro o extraer deducciones de ella. El autor y el editor expresamente niegan toda responsabilidad por cualquier efecto, pérdida o riesgo, personal o de otro tipo, que se incurre como consecuencia, directa o indirectamente, del uso y aplicación de cualquiera de los contenidos de este libro.

Güipil Press primera edición 2017

Edición: Güipil Press
www.GuipilPress.com
Diseño / diagramación de la portada e interior: Victor Aparicio
Fotografías: Imagen Magazine

Producto: 495724-01
ISBN: 978-0-9992367-0-3
Impreso en Colombia
Printed in Colombia

Categoría: Motivación/ Auto-Ayuda / Inspiración / Crecimiento Personal
Category: Motivation / Self-help / Inspiration / Personal Growth

Elogios para «Conquista Tu Riqueza Financiera en 21 Días»

«Alexandra habla de finanzas, pero no se queda en números. Nos hace reflexionar acerca de nuestras propias emociones respecto del dinero. Este libro no es de aritmética ni fórmulas mágicas para volverse millonario. Es una obra que va al fondo del asunto: nuestros propios bloqueos y limitaciones emocionales a la hora de imaginar una vida de abundancia».

- Gaby Natale
EMMY Award Winner, President AGANAR Media, Executive Producer of SuperLatinaTV Show

«Si estás cansado de trabajar mucho y no ver los resultados financieros que deseas, este libro es para ti. Alexandra Ramírez no es solo una experta respetada y muy solicitada en el mundo de las finanzas, pero ella pone en práctica todo lo que te enseña. Alexandra te comparte su sabiduría gracias a su experiencia incomparable y su gran habilidad de invertir en sí misma y prosperar ilimitadamente. Te lo recomiendo sin ninguna reservación y estoy contenta de que disfrutes de las enseñanzas excepcionales de "Conquista tu Riqueza Financiera en 21 días." Felicidades Alexandra».

- Ilean Harris
Coach Premiada de Emprendedores, Official Forbes Council Member, Latina Influencer

«Conquista tu Riqueza Financiera en 21 días es un libro que rompe esquemas y que nos lleva hacia la abundancia y la plenitud financiera. Alexandra, ¡Lo lograste!»

«Alexandra Ramírez y yo hemos trabajado juntas en la maravillosa tarea de ayudar a las personas hacer crecer sus negocios y vivir sus sueños. Yo puedo confirmar que ella representa plenamente la etiqueta #FinanciallyFitLatina. Alexandra tiene un espíritu generoso y es una muy buena amiga. Sus conocimientos sobre el manejo sabio de las finanzas se hacen visibles en cada hoja de este libro, donde ella sin reservas comparte con todos nosotros, los secretos del éxito financiero que ella ha ganado a través de los años con mucho esfuerzo y dedicación. ¡Felicidades Alexandra y que los éxitos sigan de tu lado!»

- Rebeca Segebre
Autora, conferencista, Presidente de Guipil Press y fundadora de Vive360 Media & Co.

«"Ha llegado el momento de creer que nuestro sueño financiero es posible, desarrollar inteligencia financiera y trabajar por un futuro próspero lleno de riqueza y prosperidad. ¡Felicidades Alexandra!»

- Juan José Cardona
Productor Creativo Despierta América Univisión TV

«Alexandra Ramírez, es una mujer luchadora, emprendedora, y le encanta compartir su conocimiento con otros. En su libro "Conquista tu Riqueza Financiera en 21 días" ella comparte herramientas que enriquecerán nuestras vidas. ¡Bendiciones Alexandra!»

- Jessica Domínguez
Abogada de Inmigración de Primer Impacto y Despierta América Univisión TV

Dedicatoria

A ti, que ahora sabes que puedes lograr la libertad
financiera y vas por tus más añorados sueños.

ALEXANDRA RAMÍREZ

CONQUI$TA *Tu* RIQUEZA
FINANCIERA
EN 21 DÍAS

GüipilPress.com
Miami - Florida

Agradecimientos

Agradezco primeramente a Dios por su amor infinito y por la maravillosa oportunidad de plasmar mis experiencias y conocimientos en este libro. También por la visión que sembró en mi corazón de dejar una huella de prosperidad en el camino y por manifestar el maravilloso potencial que había en mí. Gracias por todo el éxito logrado.

Agradezco a mi esposo Joaquín. Mi más sincero y profundo agradecimiento a él y a mi bella familia. Gracias por su paciencia, por estar a mi lado en cada paso del camino y por acompañarme en todos mis proyectos.

Agradezco a mis adorados hijos Christian y Mateo por su apoyo, extraordinaria paciencia y enorme comprensión por las largas horas de trabajo y prolongados días frente a la computadora. Gracias por entenderme y por permitirme volar.

Agradezco a mi madre Nubia por su fe en mí y su amor incondicional.

Agradezco a Univisión y a sus productores por cada oportunidad de estar en el exitoso programa "Despierta América" y por permitirme contribuir a la comunidad latina hacia la conquista de un gran futuro financiero.

Agradezco a Güipil Press y a su presidenta Rebeca Segebre por su participación activa en la realización de este libro como editora, y casi confidente, pues me ayudó a armar este libro con manos diestras y dedicadas. Gracias por tus maravillosas ideas creativas y por creer en mi. Gracias también a su esposo Víctor Aparicio por su excelente guía y apoyo incondicional.

Agradezco a cada mujer que se une al movimiento financiero #FinanciallyFitLatina. Es mi deseo que conquisten su riqueza financiera y logren el sueño millonario. Ustedes son mi inspiración.

Agradezco a ACA Advisor por unirse a mi visión de servir a la comunidad hispana, brindar seguridad económica y proteger su futuro financiero.

A mi querida amiga Mariela Cristina, por ser mi columna de apoyo y oración.

A mi equipo de trabajo por su integridad, cariño y apoyo absoluto. Gracias por todo.

CONTENIDO

INTRODUCCIÓN

¿Estás viviendo la vida que quieres?
¿Sientes que buscas el dinero y no llega a tu vida
como quisieras?

Recuerdo que un día antes de partir de mi país natal Colombia, a mis 22 años, vivía con mis dos hermanas y mi madre, y me veía con pocas posibilidades de triunfar. Salí embarazada a los 17 años, y la sociedad me condenó a vivir como madre soltera por varios años y a vivir en pobreza. No sabía nada, no producía nada.

Poco sabía de la vida y mucho menos del significado de la palabra riqueza. Y ahí estaba yo, recién llegada a Miami, con 22 años de edad, madre soltera, y con un futuro que no prometía mucho. Desconsolada, sola, y más desanimada por una dura realidad que vivía, sin dinero, sin trabajo y con pocas oportunidades.

Un día decidí emprender mi camino hacia los Estados Unidos, el país de las oportunidades y el que me ha brindado todo, mis hijos, mi familia, y un sin número de experiencias maravillosas. Y aunque amo a mi bello país Colombia, me siento y soy igualmente Americana, estoy muy agradecida por lo que he podido lograr en este maravilloso país.

Ha sido un largo camino, pero que me ha dejado muchos triunfos, conquistas personales y profesionales. Todos anhelamos conquistar el amor, la felicidad e inclusive el dinero. El dinero también se conquista, la riqueza también se conquista.

Mientras viajo por el mundo dando conferencias, talleres, vendiendo mis programas financieros, libros y trabajando en diferentes campañas como Latina Influyente de los Estados Unidos, me encuentro con muchas personas que viven y se sienten como miserables. Trabajan demasiado duro, con sus tarjetas de crédito al máximo, llenos de deudas y con un futuro financiero incierto.

Recordando mi pasado en Cali, Colombia y viendo como algunas personas conocidas continúan en el mismo lugar de siempre, me digo a mi misma, "Siempre deseé buscar un mejor futuro, siempre busqué vivir de una manera distinta". Gracias a Dios encontré la manera. Adquirí pasión personal por salir adelante y conquistar mi libertad financiera, compartiendo a otros mis conocimientos y ayudándolos a lograr su éxito financiero. Aprendí a ser exitosa con el dinero, me preparé y me gradué con un título en finanzas y varias capacitaciones.

Y aún sigo preparándome y aprendiendo porque mi pasión es aprender y porque comprendí que, si no aprendes y no te capacitas continuamente, mueres lentamente. Dejar de aprender es dejar de crecer. No aprender a manejar el dinero, es no saber cómo alcanzar tu riqueza. Si no controlas tu dinero, él te controla a ti. Ahora siento una obligación moral de ayudar a mi comunidad y a todos los hispanos del mundo a conquistar su libertad financiera y a vivir la vida abundante que Dios quiere para ellos.

Hoy en día empodero millones de personas hacia la libertad financiera por medio de mis segmentos televisivos en Univisión, la cadena hispana más vista de los Estados Unidos, y a través de mis diversas enseñanzas.

Escribí este libro porque quiero que también desarrolles inteligencia financiera y alcances la prosperidad en tu vida. Tengo la pasión de animarte, inspirarte y empoderarte para que tengas una vida en abundancia y vivas la vida de tus sueños ahora. Si estás leyendo este libro es porque tienes la pasión de querer más y alcanzar más, no solo para ti, sino también para tu familia.

Imagina que increíble sería si no le debieras nada a nadie. Esa sensación de no tener preocupaciones ni deudas y tener la libertad de hacer lo que siempre has soñado: pagar la universidad de tus hijos, invertir en propiedades, pagar la hipoteca de tu casa, tener negocios y planear un futuro financiero exitoso. Cuando tienes problemas y cargas financieras tiendes a estar desesperado en todo momento, y eso no te deja soñar ni establecer metas, porque esa preocupación le roba armonía y felicidad a tu vida y no te deja pensar ni soñar.

Sería increíble si tuvieras dinero ahorrado lo suficiente como para irte de vacaciones con tu familia a Grecia, para invertir en bienes raíces, y mejor aún, negocios que te generen una buena cantidad de dinero. Hoy quiero decirte que eso es posible y que este libro es la base para lograrlo.

Cuando alcanzas la estabilidad financiera en tu vida, todo empieza a fluir, tienes una mejor relación con tu pareja y disfrutas más de la vida. Y aunque el dinero no compra la felicidad, te da la libertad de disponer de tu tiempo como quieras, de ayudar a otros y de disfrutar más tiempo de calidad con tu familia: Eso es libertad financiera. Libertad de disponer de tu tiempo y de tu dinero. Y eso es lo que este libro te puede ayudar a alcanzar.

Te voy a enseñar a través de este libro cómo transformar tu mente hacia la abundancia y la riqueza y como romper patrones de escasez y pobreza que te han mantenido estancado por mucho tiempo. En 21 días, te enseñaré cómo manejar el dinero y las habilidades y destrezas financieras que necesitas para hacer que el dinero trabaje para ti. Con esas habilidades financieras podrás producir mucho dinero y mantenerlo para siempre.

Recuerda que la clave es aprender a manejar el dinero y desarrollar inteligencia financiera, lo que te ayudará a multiplicar tu dinero y convertirlo en tu esclavo.

Te ayudaré a producir resultados extraordinarios y vivir una vida financieramente exitosa.

Bendiciones.

Alexandra Ramírez

PARTE I

Actitudes para la transformación financiera

Día 1

Desarrolla Una Actitud de Riqueza

*"Todos nuestros sueños se pueden hacer realidad
si tenemos el valor de perseguirlos"*
- Walt Disney

Amo los cruceros. ¿Alguna vez te has ido de vacaciones en un crucero? ¡Es una experiencia muy interesante! Te puedes ir de crucero por el caribe y conocer varias islas hermosas en sólo 7 días. Recuerdo que cuando escuchaba a alguien decir que se fue a Europa en un crucero, me decía "Qué difícil sería solo tener un día en un puerto hermoso en Europa y no poder hacer todas las cosas que existen para hacer. Pero algo muy especial de los cruceros es que tienen bien determinado el lugar al que se dirigen y el puerto donde están en el momento.

Cuando uno se embarca de vacaciones en uno de esos hermosos navíos, uno tiene claro todo el itinerario y de esa manera puede organizar su tiempo y recursos para sacar ventaja a cada puerto que se visita. Todo esto se puede lograr porque el capitán del barco tiene claro en todo momento todo lo relacionado con la dirección y el destino de su barco y toda la tripulación.

Cuando no tenemos dirección ni destinos financieros claros, nos encontramos diciendo: ¡Trabajo y trabajo y el dinero no me alcanza!" "Mi salario no es suficiente". Seguramente te identificas con estas populares y habituales frases. Frases que escucho a diario de personas a mi alrededor, en mis conferencias, talleres, y de mis clientes de asesoría y coaching financiero.

El problema de la mayoría que tienen problemas con su dinero, es que no tienen organizadas sus finanzas y dejan que las circunstancias del día a día los guíen sin dirección específica.

Para conquistar tu libertad financiera, la clave está en tener una dirección clara a dónde quieres ir, tener un plan para lograrlo, amar, abrazar y disfrutar el proceso. La organización y la planeación son sumamente importantes cuando queremos alcanzar el triunfo económico. Si tú estás leyendo este libro, es porque sabes que es el momento de tomar las riendas de tu "destino" financiero.

¡Te felicito!

> Para conquistar tu libertad financiera, la clave está en tener una dirección clara a dónde quieres ir, tener un plan para lograrlo, amar, abrazar y disfrutar el proceso.

La meta de lograr tu éxito financiero es importante, pero el proceso aún lo es más. Durante el tiempo que estudies este libro, es importante que disfrutes el proceso y adquieras nuevas creencias y habilidades en cuanto a tu dinero. Este libro tiene una dirección bien clara. En esta primera parte vamos a desintoxicar nuestra vida financiera, en la segunda parte entraremos de lleno en establecer metas, y trabajar en las estrategias, tareas, pasos para alcanzar estar financieramente en forma y en la tercera parte te daré las estrategias y las tácticas para que logres un futuro financiero exitoso y próspero.

El secreto para conseguir la libertad financiera no es perseguir el dinero, si no saber cómo manejarlo de acuerdo a objetivos y metas claras trazadas con anterioridad. Así como en unas vacaciones de crucero, cuando tienes un plan y un destino, sabes dónde colocar tu dinero y no vas a malgastar. Cuando no necesitas dinero de una manera agobiante, es mucho más fácil crear riqueza.

> El secreto para conseguir la libertad financiera no es perseguir el dinero si no saber cómo manejar el dinero de acuerdo a objetivos y metas claras trazadas con anterioridad.

LAS SUPOSICIONES DAÑINAS SOBRE EL DINERO

Aprendiste a caminar, a leer, a comer, pero no has aprendido sobre el dinero ni cómo hacer riqueza. Tal vez has tenido un buen hogar, y tuviste la suerte de ir a la escuela para aprender lo básico, a la universidad para graduarse en una especialidad, la vida te enseñó de todo, pero nada ni nadie se ha tomado el tiempo para enseñarte cómo lograr la prosperidad en tu vida.

No te preocupes, yo voy a guiarte durante estos 21 capítulos del libro que serán como un Bootcamp Financiero para ti. Eso es, un plan intensivo para que adquieras nuevas maneras de pensar, actitudes correctas y destrezas financieras y te conviertas en el mayordomo de tu dinero.

La razón por la que muchos no alcanzan libertad financiera es debido a patrones de pensamientos que están equivocados. Veamos algunos ejemplos de suposiciones dañinas sobre el dinero:

El dinero no importa.
Los que piensan que el dinero no es importante necesitan cambiar su manera de pensar. Cuando las personas llegan a estas suposiciones dañinas, es tal vez porque están resignados, viven con lo justo y el dinero no les alcanza.

El dinero no trae felicidad.
También, otros piensan que el dinero no trae la felicidad y por lo tanto no hacen nada diferente para cambiar su situación financiera dolorosa, pero también sabemos que la falta de dinero tampoco hace feliz a las personas. Las finanzas son una parte esencial de la vida de un individuo. Colocar la felicidad en el dinero es un error, pero descuidar las finanzas personales es un gran error.

El dinero es malo.
Pensar que el dinero es la causa de todos los males es una suposición equivocada sobre el dinero. Muchas personas han visto a otros perseguir dinero y descuidar cada otra área de su vida y llegan a la conclusión que trabajar para tener libertad financiera es corromperse por completo o dejar a un lado los valores familiares que ellos consideran prioridad.

Es mi intención que desarrolles una actitud de riqueza. Es por esto que lo primero que vamos a abarcar en este libro es una transformación mental para luego dedicarnos a aprender, practicar nuevas habilidades y poder lograr un presente y un futuro financieramente óptimo.

En el próximo capítulo vamos a hablar en detalle sobre de las suposiciones dañinas más grandes que podemos tener sobre el dinero y cómo transformar nuestra mente.

La actitud correcta sobre el dinero
Existe una realidad para todo lo que está bajo nuestro control. En una de las parábolas que contara Jesús, el capataz le dijo a su buen trabajador *"En lo poco fuiste fiel, en lo mucho te pondré"*. Este principio nos dice clara-

mente que cuando eres fiel en el manejo de lo que hoy tienes, sea mucho o sea poco, eres candidato a estar a cargo de mucho más.

Establece tus actitudes:
Para poner tus finanzas al día durante el estudio de este libro, te invito que seas fiel en tener estas actitudes hacia tu vida y tus finanzas:

- **Conciencia:** Para conocer y enfrentar tu situación financiera
- **Auto-disciplina:** Para que te ajustes a tu presupuesto
- **Prudencia:** Para tomar las mejores decisiones y persistir en ellas
- **Honestidad:** Para no engañarte a ti mismo
- **Compromiso:** Para hacer los cambios necesarios que encuentras en este libro.

Requerimientos Adicionales
Para alcanzar el éxito, también necesito algo más de tu parte:
- Tomar el tiempo para hacer los ejercicios, la responsabilidad y la seguridad de que cumplirás el plan al pie de la letra.

- Necesito que tomes tan solo 20 minutos al día de tus actividades para trabajar en este plan si fuese posible de manera diaria, que te ayudará a descubrir lo que necesitas cambiar y mejorar con tus finanzas.

- Comenzarás a observar tus verdaderas creencias sobre el dinero y luego analizar en qué punto te encuentras. Luego podrás estudiar el balance de tu situación económica en este momento: *¿Gastas mucho? ¿Tienes ahorros? ¿Inversiones? ¿Son mayores tus activos que tus pasivos?*

Este plan es efectivo para ayudarte a descubrir lo que haces con tu dinero cada mes. El trabajo que tienes que hacer es realmente poco comparado con los beneficios inmensos que te puede dar el leer, estudiar y meditar en este libro y hacer las tareas.

Algunas definiciones importantes

Bueno, te explico algunos de los términos que vamos a utilizar durante este entrenamiento práctico:

• Por activo entendemos que es todo lo que pones en tu bolsillo, el dinero que recibes en efectivo, lo que tienes en tu cuenta corriente, rentas, negocios, dividendos, intereses de bonos o depósitos, acciones, inversiones, renta de alquiler.

• Un pasivo, es todo aquello que debes o sale de tu bolsillo, tus obligaciones, gastos, deudas, préstamos, pago de carro, de hipoteca, etc.

• Patrimonio es lo que te queda de la diferencia de ambos.

El balance personal es un estado financiero que resume tu situación financiera en un momento determinado y que nos va a ayudar a darle seguimiento a la misma. Si tus ingresos superan a tus gastos, tienes ganancia, y puedes elegir dónde invertirlos. Por el contrario, si tus gastos superan a tus ingresos, tienes pérdida, y tenemos que buscar la forma de reducir o eliminar gastos.

Si quieres ser rico, hacer crecer tu columna de activos y generar verdadera riqueza financiera, tienes que aprender a manejar tus cuentas, por más aburrido y confuso que a simple vista te parezca. En este libro descubrirás lo emocionante que realmente es aprender y poner en práctica nuevas destrezas que te traerán verdadera riqueza.

Ahora quiero que tomes el siguiente test, para ver cómo está tu grado de inteligencia financiera:

TEST FINANCIERO

"Conoce el poder del control de gastos y del manejo del dinero"

	TEST	SI	NO
1	Mi fuente de ingresos es estable y sólida		
2	Actualmente ahorro del 10% al 20% de mis ingresos mensuales		
3	Siempre pago mis deudas a tiempo y devuelvo lo prestado		
4	Tengo ahorrado 3/6 meses de gastos básicos		
5	Tengo un fondo de emergencias y de reserva		
6	Soy una persona responsable con el dinero y no gasto de más		
7	Estoy creando diferentes fuentes de ingreso		
8	Estoy en un negocio que me lleva a la libertad financiera		
9	No uso tarjetas de crédito		
10	No uso nada con préstamo		

Notas: _____

_____

_____

Si contestaste "NO" a 5 o más de los argumentos, estás en serio problemas. Tienes que hacer cambios en tu vida financiera lo más pronto posible. Para hacer dinero y lograr la libertad financiera, tienes que cambiar primero tu mentalidad, transformar tu interior y empezar un plan.

Te veo en el próximo capítulo.

Día 2

Conoce la historia detrás de tu dinero

"Para tener dinero en tus manos, debes tener primero dinero en tu mente".

- Anónimo

Hace poco hable con una amiga que me contaba que le dieron un ascenso en su empresa. Yo me sorprendí porque primero la empresa es pequeña y segundo ella trabajaba de secretaria, y yo me preguntaba ¿a qué puesto ascendió? Ella me cuenta que en su empresa, habían estado necesitando una persona a cargo de los medios sociales, pero cada vez que encontraban a alguien, al poco tiempo lo despedían. Al mismo tiempo la empresa había adquirido un programa de capacitación muy costoso y se lo ofrecieron a todos los 12 empleados de la empresa completamente gratis. Ella fue la única que lo comenzó y lo termino. Fue así como un día, decidieron darle la oportunidad de hacer el trabajo y desde ese día ella recibió su ascenso y su nuevo título en la empresa como administradora de medios sociales.

Este ejemplo te muestra cómo muchas veces las personas tienen mentalidad de víctimas y buscan a su alrededor las excusas por la cual no han podido triunfar mientras otras aprovechan las oportunidades cuando en su mente han decidido avanzar. Mi amiga está decidida a avanzar y por esto vio la oportunidad donde otros sólo vieron un fastidio. No me sorprendí una vez que escuché la historia, porque en algún lugar había escuchado la historia de cómo sólo el 3% de los empleados en una empresa toman ventaja de la educación gratuita que se les ofrece. Este es porque para tener dinero en tu bolsillo, la mente tiene que estar preparada para recibirlo. Cuando estás preparado en la mente, ves las oportunidades y las tomas con confianza.

Las creencias son una fuerza muy poderosa en tu conducta. "Tú eres tu propia creencia".

En tu cerebro se incorporaron vivencias y aprendizajes que formaron tus inseguridades, miedos y creencias limitantes. Las creencias negativas fueron plantadas en tu niñez, especialmente cuando experiencias y opiniones negativas de tus padres o de la sociedad se grabaron automáticamente en tu subconsciente, creando bloqueos y limitando tu prosperidad y riqueza.

Los problemas de dinero son causados por los problemas mentales sobre el dinero. Tu riqueza es el reflejo de patrones mentales y conductas. Es decir, el dinero en realidad se hace en tu mente.

LA PROGRAMACIÓN MENTAL Y TU DINERO

Tu éxito o fracaso económico es una programación mental. Si en tu casa siempre hubo discusión de dinero, problemas económicos, de escasez o escuchaste frases negativas acerca del dinero, entonces en tu mente se programó que el dinero era causa de infelicidad y por eso sin darte cuenta lo alejas de tu vida. Yo he identificado 3 fuentes de programación mental sobre el dinero. Estas son:

- Creencias limitantes de nuestra niñez,
- Mitos que hemos creído en el transcurso de la vida, y
- Nuestro propio lenguaje negativo referente al dinero.

Vamos a estudiar cada uno de ellos y luego te daré una herramienta que te ayudará a programar positivamente tu mente para el éxito financiero.

Las creencias limitantes

El primer obstáculo para la riqueza son las creencias limitantes. Las creencias son una carga más pesada que una hipoteca, es más liviano tener un préstamo hipotecario con el banco que tener una creencia limitante en tu mente. La hipoteca tiene fecha de caducidad, pero las creencias no. Son como unas "Hipotecas Mentales".

Estas creencias actúan como profecías auto-cumplidas y son barreras que te impiden actuar y recibir el flujo de dinero en tu vida. Sin darte cuenta, llamas la pobreza, la carencia y las ideas no fluyen dentro de ti. Todo lo que creas en tu mundo material ha sido creado en tu mundo mental. Veamos algunas de ellas y pregúntate cuál de estas creencias limitantes identificas hoy en tu vida o en algún momento en el pasado.

- "El dinero es la causa de todos los males". La mayoría de las personas piensan que esta frase viene de las sagradas escrituras. Esta es una mala interpretación de una cita Bíblica que dice que el "amor al dinero" es la raíz de todos los males. Esta pequeña diferenciación hace toda la diferencia.

También es importante recordar que en las mismas sagradas escrituras la pobreza no es la condición para la cual la humanidad fue creada. Fuimos creados para la abundancia. Si tu programación mental viene de una mentalidad pobre, tu dinero escasea.

- "El dinero existe para gastárselo". Si crees que el dinero no es importante, entonces siempre vives con lo justo.

- "El dinero es un recurso limitado". Si en tu mente hay escasez, en tu vida hay escasez.

• "Querer tener mucho dinero es una actitud de los egoístas." El dinero es una herramienta que te da opciones y oportunidades, esto incluye la oportunidad de hacer el bien a los demás, emplear personas en sus negocios y dejarles un legado próspero a sus hijos. No hay nada de egoísta en esto.

• El creer que "el pasado fue y será siempre mejor". Este pensamiento te limita y te detiene a ir por tus sueños en el futuro. Una amiga me contó que su vida cambió el día que su padre le dio el permiso de cambiar su mentalidad: "Mi padre me enseñó unos meses antes de morir: Los mejores días están por venir."

• "Ganar dinero equivale a hacer un esfuerzo mental y físico y por lo general esto significa renunciar a mis sueños". La gente piensa que todo lo que ha estudiado le costó esfuerzo adquirirlo, igual el dinero viene con esfuerzo y te quita toda la energía de tal manera que no puedes ir por lo que te apasiona. La verdadera libertad financiera viene cuando podemos encontrar una estrategia para dedicarnos hacer lo que nos apasiona y que podamos recibir un pago por ello.

• "Se necesita dinero para hacer el dinero." Entonces, si no tengo dinero, no puedo soñar con hacer más dinero o tener libertad financiera. La realidad es que si tú idea o tú proyecto es válido y tienes las habilidades para hacerlo, puedes crear libertad financiera utilizando el dinero de otras fuentes.

• "Mejor es lo malo conocido que bueno por conocer". Esto es, limitarnos a lo conocido. Cuando llega el momento de comprar ya sea algo cotidiano, como ir a un supermercado, o una compra mayor como la de un carro, y permanecer en lo conocido sin tener seguridad de que lo conocido es la mejor opción que existe para ti.

Puede llegar a ser el miedo a lo desconocido lo que te hace ir a los mismos restaurantes, y nunca hacer algo nuevo. Yo te aconsejo que te informes. Descubre todas tus opciones y haz que tu perspectiva se expanda. De esa manera el utilizar tu dinero puede llegar a ser una experiencia más agradable, más práctica y más feliz.

Los mitos comunes

Las mentiras que escuchaste sobre el dinero son mitos sin fundamento y hay que renunciar a ellos. Ten cuidado con los mitos dañinos tales como:

• Los ricos se hacen más ricos y los pobres se hacen más pobres.

• Nacimos en pobreza, es un designio fuera de mi control, no lo puedo cambiar.

• Nací rico, por lo tanto, siempre seré rico y puedo tener lo que yo quiera.

• Hay que trabajar demasiado (y matarse) para obtener dinero.

• Puedo vivir para hacerme rico o vivir para ser feliz, pero no puedo tener ambos.

• Yo soy rico, así que no tengo nada que aprender de los pobres, yo soy superior a ellos porque tengo dinero.

• No tengo el grado universitario necesario para hacer dinero.

Tus creencias reflejan tu economía. Goethe, escritor famoso, nos dio el secreto cuando dijo: "Antes de que puedas hacer algo, primero debes ser algo". Si tienes una mentalidad rica entonces tu riqueza ya abunda. Tal vez solo necesitas las tácticas y estrategias para traerlos de tu mente a la forma tangible.

Si tienes una mentalidad rica entonces tu riqueza ya abunda. Tal vez solo necesitas las tácticas y estrategias para traerlos de tu mente a la forma tangible.

Lenguaje y pensamientos negativos

Muchos de mis clientes me dicen que la mente siempre les está hablando y la mayoría de las veces les habla en lenguaje negativo. Estos son ejemplos de lenguaje negativo que utilizamos sobre el dinero:

- Yo NO soy bueno o buena para administrar dinero.
- El dinero NO es mi prioridad, es solo dinero.
- Tengo mala suerte en los negocios y en mi trabajo.
- No tengo el grado necesario para ser rico.
- Solo quiero poder retirarme en paz.
- No quiero tener expectativas altas para no sentirme un fracaso.
- No puedo ser rico porque me han pasado muchas cosas malas o he cometido muchos errores.

Todos estos son mitos que nos hemos acostumbrados ver como verdad. En el último mito que enumeré, por ejemplo, la persona podría decir algo positivo de lo vivido así, en vez de hablar solo de la experiencia negativa: "He aprendido y crecido mucho con cada experiencia que he vivido".

REPROGRAMA TU MENTE

La mente es como un archivo donde guardaste esas creencias, estos mitos y te escuchaste a ti mismo repetir lenguaje negativo referente al dinero. Según estudios, el 83% de las personas fueron programadas para el fracaso. Es por eso, que no logras ser exitoso ni logras la riqueza en tu vida. Las creencias limitantes son como un virus mental que te instalaron en tu mente. De esa misma manera, tienes que programar un nuevo programa y eliminar el virus mental para alcanzar la prosperidad.

Cambia tus pensamientos en cuanto al dinero y atraerás abundancia a tu vida. Tus pensamientos se relacionan con tus emociones y así mismo recibirás experiencias basadas en tus emociones. Así que cuidado con lo que piensas. ¡Eso mismo atraes! Napoleón Hill explica, que debemos tener en la mente un deseo grande de alcanzar la riqueza, lo cual es indispensable para alcanzar el éxito. *"Nuestras únicas limitaciones son aquellas que establecemos en nuestra propia mente". – Napoleon Hill*

Se nos ha enseñado a ver el dinero como un recurso tangible que se necesita para gastarlo. Lo utilizamos para pagar cuentas, comprar y gastar. Lo que posiblemente no comprendas es que tú puedes atraer dinero a tu vida de una manera más fácil, simplemente cambiando la manera en la que piensas acerca del dinero y de la abundancia.

Atraes lo que piensas, es decir, existe "La Ley de la Atracción". Haz que ella trabaje para ti de manera efectiva y haz la diferencia entre una vida de escasez y una vida en abundancia.

SECRETOS PARA ATRAER EL DINERO A TU VIDA

Aquí te doy uno de los secretos más efectivos para atraer el dinero a tu vida:

Tus Pensamientos Crean tus Experiencias

La Ley de la Atracción se activa con tus pensamientos, en otras palabras, se activa con las cosas que piensas, crees y sientes regularmente.

Así es como trabaja

Tus pensamientos disparan tus emociones, tu estado emocional emite una frecuencia de energía, en ese instante, el universo y Dios te devuelven experiencias a tu vida, que corresponden con tu frecuencia emocional.

Mantente positivo

Cuando piensas y sientes positivamente de manera regular, todo en tu vida parece fluir más fácilmente, incluyendo el dinero.

Evita lo negativo

Cuando tus pensamientos y emociones son negativas o se apoyan más hacia el lado negativo,vas a experimentar más problemas, retrasos y escasez financiera en tu vida.

Tus creencias son muy importantes

Tus creencias conforman la estructura de lo que es posible para ti. Si crees que tienes que trabajar duro para tener mucho dinero, crearás exactamente esa experiencia para ti mismo. Si no crees que te mereces más cantidad de dinero, pues bloquearás de que te llegue más.

¿Entiendes ahora por qué el dinero
se escapa de tus manos?

Si te sientes identificado con las frases de pensamiento negativo, ¡no te sientas mal, no te culpes! Lo importante es lo que elijas hacer de ahora en adelante. El hecho de que estés leyendo este libro me dice que ya has elegido invertir en tu riqueza mental que te llevará a la riqueza material. Este libro, además de ser un Bootcamp Financiero, es una tremenda inversión de educación financiera que te llevará a los caminos de la prosperidad.

CUESTIONARIO PARA MEDITAR

¿Qué aprendiste de niño sobre el dinero?

¿Qué ideas tenían tus padres sobre el dinero?

¿Cómo manejas actualmente tu dinero?

¿Eres una persona compulsiva a la hora de comprar?

¿Te sientes culpable al gastar dinero?

 FINALIZA ESTAS FRASES
No estoy financieramente en forma porque…

Me gustaría tener más dinero, pero….

Para reprogramar tu mente, vamos a usar el "Poder de las Afirmaciones". La mejor manera de sustituir una creencia negativa y limitante es re-programarla a través del lenguaje y usarlo en forma positiva. Las cosas negativas que repetimos del dinero te conllevan a alejarlo de tu vida.

Para que hagas uso del poder de las afirmaciones, sigue los siguientes pasos:

☑ AFIRMACIONES POSITIVAS DEL DINERO...

Necesitas cambiar el lenguaje del dinero. Hablar bien de él. Lee y repite las siguientes frases 10 veces por 30 días por la mañana al levantarse y antes de ir a dormir:

> "Soy una fuente de Energía, Riqueza y Abundancia"
>
> "El dinero fluye en mí. Atraigo el Dinero a mi vida"
>
> "Soy Rico, Crezco mis Inversiones y mi Flujo de Dinero"
>
> "Agradezco a Dios por el Dinero que tengo y Recibo en Abundancia"
>
> "Creo Prosperidad y Riqueza. Se administrar bien mi Dinero"
>
> "Soy Feliz con mi Riqueza. Tengo abundancia ilimitada"
>
> "Ríos de Riqueza vienen a mí"
>
> "Mis ingresos provienen de Dios y el Universo"
>
> "Tengo Dinero suficiente para crear mis Proyectos"
>
> "El dinero viene a mí fácilmente y sin esfuerzo"

CAMBIA TUS PENSAMIENTOS EN CUANTO AL DINERO Y ATRAERÁS ABUNDANCIA A TU VIDA.

LECCIONES APRENDIDAS EN EL CAMINO A CONVERTIRME EN #FinanciallyFitLatina

Día 3

Descubre tu personalidad financiera

"El dinero no cambia quien eres, sino que amplifica tu
personalidad y revela paradigmas."
- Alexandra Ramírez

María y Juan peleaban mucho. Ella no entendía por qué él trabajaba tanto, se quedaba hasta tarde en la oficina y luego el fin de semana cuando tenía un día libre, no quería salir a pasear a un restaurante bonito. Juan no entendía como una mujer podía quejarse tanto de un hombre que era tan buen proveedor y que llevaba "todo" lo que se ganaba a su casa. María en su lugar, estaba sospechosa. Sera que tendría otra mujer con la que se gastaba el dinero o ¿estaba ahorrando para dejarla? ¡Era toda una novela! La relación de ellos se estabilizó cuando María entendió que su esposo tenía temor de perder su dinero y por eso le daba miedo gastarlo. Tomó tiempo para que con la ayuda de un sabio consejero financiero pudieran encontrar el balance de cuánto gastar juntos en diversión los fines de semana y emprender un plan financiero estratégico.

Las parejas que dicen tener problemas en sus relaciones debido al dinero, por lo general su realidad es que ambos tienen diferentes maneras de ver el dinero y también una visión de cómo utilizarlo. En otras palabras, sus personalidades financieras son muy diferentes. En el capítulo anterior logramos identificar cuáles son tus falsas creencias en cuanto al dinero, ahora llegó el momento de poner todo este conocimiento junto, para que identifiques los atributos y tu tipo de personalidad financiera.

COMPORTAMIENTOS Y PERSONALIDAD FINANCIERA

Miremos las diferentes maneras de comportamiento financiero utilizando el adjetivo que un observador haría al ver tus decisiones financieras. Quiero que sepas que no usamos nombres "bonitos" porque quiero que veas claramente las desventajas de tu comportamiento. Léelos detenidamente e identifica el que más se acerque a ti:

1 - Tacaño

Características importantes de este Comportamiento:

- Haz decidido ahorrar tanto, que hoy no tienes dinero ni para gustos, ni para ciertas cosas que son necesarias para vivir bien.
- No disfrutas de actividades que te gustaría hacer, o un gusto en un restaurante o en una fecha especial porque te abstienes por el costo.
- Tu presupuesto es tan estricto que nunca podrías tomar ventaja de una oportunidad inesperada.

Tú te ves así:

Tal vez tu tengas un nombre más bonito para tu comportamiento, tal vez te digas a ti mismo que eres muy frugal y organizado, pero algunos en tu familia te tildan de tacaño y otros te identificarán como "miserable".

¿Qué está sucediendo?

Si esta es tu conducta con el dinero, significa que estás dominado por el miedo. Tienes miedo a no tener dinero, eres inseguro. Crees que mientras más dinero tengas, más seguridad tendrás.

Lo que necesitas hacer:

Si te identificas con este tipo de personalidad y comportamiento, quiero decirte que entiendo que te atemoriza la idea de gastar dinero y perderlo, pero te aconsejo que trabajes en tu inseguridad y tu miedo para que disfrutes más la vida y evites el sufrimiento.

No te abstengas de vivir los pequeños placeres que aportan a tu verdadera felicidad. Ahorra, pero también disfruta. Puedes consultar también con un experto que te ayude a encontrar un plan financiero que trabaje para ti.

> No te abstengas de vivir los pequeños placeres que aportan a tu verdadera felicidad. Ahorra, pero también disfruta.

2 - Derrochador
Características importantes de este Comportamiento:

- Gastas dinero aún cuando no lo tienes.
- Te metes en deudas para comprar cosas que no son una necesidad.
- No tienes dinero reservado para emergencias porque esa no es una prioridad financiera para ti.
- Si tu cónyuge supiera de todos tus comportamientos monetarios y en las cosas que gastas a escondidas, tendrías graves problemas.

Tú te ves así:
Tal vez tú te dices a ti mismo que has logrado aprender el difícil arte de disfrutar el momento, pero los que están a tu alrededor te tildan de derrochador, impulsivo y que no te importan las consecuencias de tus actos financieros.

¿Qué está sucediendo?
Malgastas el dinero y lo derrochas sin importarte. Significa que eres desordenado e irresponsable.

Tu vida está en desorden al igual que tus finanzas. No puedes retener el dinero. Identificas el dinero con la persona a la que no quieres parecerte, como por ejemplo el político manipulador. Despilfarras el dinero como una forma de bloqueo a tus propios actos.

Lo que necesitas hacer:
Si te identificas con este tipo de personalidad y comportamiento, ¡te felicito por estar leyendo este libro! Toda la información en este libro te convendrá para realizar cambios significativos. Planifica tus compras, organiza tu vida y trabaja en tu ansiedad. Muchas de tus acciones financieras son producto de una situación emocional. Si tu situación es crítica, deberías hablar con un consejero, sobre todo si la culpabilidad, vergüenza y pena a causa de deudas y malas administraciones te están haciendo sentir desesperado o deprimido y causando problemas en tu economía familiar.

Planifica tus compras, organiza tu vida y trabaja en tu ansiedad. Muchas de tus acciones financieras son producto de una situación emocional.

3- Vives bien en Pobreza:
Características importantes de este Comportamiento:

- No tienes la información ni las habilidades necesarias para tomar decisiones financieras sabias.
- No sabes cómo proveer para ti mismo y dependes de los demás en tu vida todo el tiempo.
- Si alguien en tu vida decide no ayudarte más, quedarías en la calle, no sabes que hacer para salir de esa situación.
- Muchas veces, no tienes lo que necesitas, porque compartes más de lo que puedes con otras personas.

Tú te ves así:

Tal vez tú te ves a ti mismo como una persona de espíritu libre, donde el dinero no es tu prioridad, pero los demás pueden ver que eres financieramente inmaduro y otros te podrían tildar de irresponsable.

¿Qué está sucediendo?

Mentalmente te sientes desvalorizado. Sin darte cuenta, emocionalmente sientes soledad, abandono, sientes que no te quieren. Mecanismo de defensa de viejos patrones en el subconsciente. Tu subconsciente pronuncia "no sirvo", "no puedo", "no merezco". Crees que nada bueno te va a pasar, vives en pobreza.

Lo que necesitas hacer:

Si te identificas con este tipo de personalidad y comportamiento, debes entender que el dinero refleja tus pensamientos, tus limitaciones, tus carencias. Busca lo positivo de la vida, vive feliz, ten paz, se abundante de pensamientos, amor y riqueza. No pienses solo en lo que hace falta, sino en lo que tienes. No creas que vivir en pobreza es sinónimo de integridad. No eres más integro por tener menos dinero. Cambia tu mentalidad. Lo positivo atrae lo positivo. Puedes más, mereces más.

 No creas que vivir en pobreza es sinónimo de integridad. No eres más integro por tener menos dinero. Cambia tu mentalidad. Lo positivo atrae lo positivo. Puedes más, mereces más.

4 - Comprador Compulsivo:
Características importantes de este Comportamiento:

- Con tus compras, te transportas a un mundo imaginario donde tu imagen y status social se elevan más allá de lo real.
- Creas una falsa impresión de tener abundancia económica comprando más de la cuenta.
- Siempre estás comprando para otros con el pensamiento de que estas siendo generoso.
- No estás preparado para lo inesperado porque no tienes un fondo de emergencia.

Tú te ves así:
Tal vez tú piensas que estás presentando una imagen muy positiva de ti mismo, te dices que los demás te deben ver como una persona generosa y crees que los tienes impresionados. Pero los más allegados, te podrían tildar de superficial y en lugar de generosidad te tildan de insensible.

¿Qué está sucediendo?
Compras porque te proporciona gratificación y te ayuda a salir de tu propia realidad. "Voy a comprarme algo para sentirme bien". Este es un mecanismo de defensa que usas para validar un sufrimiento. Después que compras, muchas veces te sientes bien, otras te sientes culpable y te autocriticas.

Lo que necesitas hacer:
Si te identificas con este tipo de personalidad y comportamiento quiero felicitarte, ya que la información en este libro te convendrá para que puedas acumular verdadera riqueza, y puedas compartirla con los demás de manera balanceada y generosa. Algo que puedes comenzar a hacer hoy, es tomar la decisión de que vas a comprar calidad y no solo marcas. Colócate un límite de 10 por ciento o menos de

tu presupuesto de compras para las compras de temporada.

Si estás en deudas, busca un consejero. Sigue leyendo, este libro tiene la información que necesitas para hacer cambios positivos en tu vida.

> Algo que puedes comenzar a hacer hoy, es tomar la decisión de que vas a comprar calidad y no solo marcas. Colócate un límite de 10 por ciento o menos de tu presupuesto de compras para las compras de temporada.

5- Desligado del dinero:
Características importantes de este Comportamiento:

- Te molesta ver a las personas gastando dinero en ellos mismos para sus placeres en lugar de utilizarlo para ayudar a los demás.
- Te sientes resentido cuando la gente espera un regalo que asumen recibirán de ti.
- Te aseguras de vivir en simplicidad financiera para que tus otros valores se puedan reflejar mejor.
- Crees que estar interesado en el dinero es ser egoísta y egocéntrico.

Tú te ves así:
Tal vez tú te dices a ti mismo como caritativo y sacrificial, pero entre tus más cercanos amigos, podrían notar unas cuantas actitudes de juicio y en algunas ocasiones te comportas como mártir.

¿Qué está sucediendo?
Debido a que tu manera de ver el dinero es que solo es bueno para dar a los más necesitados, esto impide la comunicación con el dinero. Realmente, te sientes desvalorizado en tu interior.

Tu mente dice "No me importa tener dinero" pero en realidad te molesta ver a los demás prosperar.

Crees que si tienes dinero debes dárselo a los necesitados, ya que para eso es lo único que sirve el dinero. Ocultas un "no puedo", "no sirvo", "no merezco".

Lo que necesitas hacer:
Si te identificas con este tipo de personalidad y comportamiento, quiero darte algunas pautas para que tu deseo de dar a los demás no maltrate tu bienestar financiero: Decide cuánto realmente de tu dinero puedes compartir con los demás y decide cómo lo vas a dar.

Decide a qué organizaciones y que cantidad darás y mantente en tu plan. Debes comprender que el dinero es importante para vivir, es bueno y es necesario para lograr muchas de las metas que sueñas. Si los demás prosperan, tú también puedes lograrlo. En este libro aprenderás como hacer un plan para dar, que incluye darte a ti mismo y proveer para ti en el futuro.

El dinero es importante para vivir, es bueno y es necesario para lograr muchas de las metas que sueñas. Si los demás prosperan, tú también puedes lograrlo.

6- Te importa el dinero y la prosperidad:
Características importantes de este Comportamiento:
Debido a que tienes metas financieras claras y concisas sabes que el dinero y la prosperidad abundan en tu vida. Solo ten cuidado de no caer en algunas de estas tentaciones:

- Pudieras a veces tener la tendencia de ser intolerante o impaciente con otros que no llenan tus estándares financieros.

- Ten cuidado si tienes la tendencia a no compartir información con tu cónyuge sobre el dinero para mantener el control de las finanzas solo tú.

- Puede que te moleste que otras personas esperen de ti ayudar a otras personas que no hicieron planes financieros como los hiciste tú.

Tú te ves así:

Tal vez tú te dices a ti mismo que eres responsable, competente y que llegas a tus metas financieras y probablemente lo eres. !Felicitaciones! Solo ten cuidado de no caer en comportamientos negativos como los que mencione arriba. Continúa leyendo para que con la ayuda de este libro puedas seguir logrando todos tus sueños financieros.

¿Qué está sucediendo?

Tienes flujo de dinero en tu vida. Haz logrado "despegarte" del dinero. Eres una persona próspera y exitosa porque se hace metas, las trabaja y las logra. ¡Ya vives en abundancia!

Lo que necesitas hacer:

Si te identificas con este tipo de personalidad y comportamiento, quiero de veras felicitarte ya que eres una persona sabia y entiendes que debes continuar instruyéndote en las áreas importantes de la vida.

Por cada uno de los tipos de personalidad financiera, este libro le es útil, ya que la libertad financiera te lleva a un mejor beneficio y disfrute de lo que naturalmente te trae alegría y prosperidad. Toda personalidad tiene unos aspectos positivos que, si se combinan con una perspectiva correcta del dinero, una visión clara de la situación financiera actual de la persona y unas metas claras, pueden lograr un bienestar financiero mayor.

TEST DE PERSONALIDAD FINANCIERA

Completa el siguiente test financiero y conoce la personalidad detrás de tu dinero según tu comportamiento. Escoge la opción que más trabaje para ti.

1- Si recibiera inesperadamente hoy la suma 50 mil dólares. ¿Qué sería lo primero que haría con el dinero?

   a. ¡Compraría un auto nuevo! _____

   b. No sabría qué hacer. Tomaría tiempo para pensar y tomar una decisión. _____

   c. Renovaría toda mi guarda ropa y me iría de viaje. ¡Ahora puedo comprar algo maravilloso!___

   d. Buscaría maneras de invertirlo y generar ganancias._____

2. A la hora de gastar y comprar, veo algo que me gusta, y......

   a. Siempre gasto en exceso, compro todo lo me gusta. _____

   b. Prefiero no gastar dinero, siempre lo guardo en mi cuenta de ahorros. _____

   c. Me encanta consentirme, ¡después de todo me lo merezco! _____

   d. Aunque me gusta gastar, siempre invierto una parte de mi ganancia, y no pierdo dinero. _____

3. El ahorro para mi es...

   a. El ahorro no es una prioridad para mí, no tengo dinero ahorrado para emergencias._____

   b. Ahorro porque me da miedo quedarme sin dinero y no sé qué pueda pasar. _____

   c. Tengo una cuenta de ahorros, pero gasto a menudo en ropa y todo lo que me gusta._____

   d. Siempre que ahorro, busco invertir en negocios y proyectos rentables. _____

4. Cuando voy a un centro comercial y me ofrecen el último modelo de teléfono inteligente y el más costoso...

   a. Lo compro, pero tomo un plan para pagarlo en mensualidades cómodas. _____

   b. Prefiero comprar el más económico, solo lo necesito para comunicarme con mi familia. _____

   c. ¡Lo compro sin pensarlo! _____

   d. Lo rechazo por completo, no estaba dentro de mis planes. _____

5. Cuando se trata de inversiones, yo...

   a. No es mi prioridad. Solamente invertiría si es una buena oportunidad para mi. _____

   b. Debo estar bien seguro que eso de invertir sea una buena idea. _____

   a. No veo porque deba invertir, necesito el dinero ahora. _____

   c. Siempre tomo buenas decisiones financieras. Me aseguro de invertir en algo rentable y luego
      disfruto la ganancia. _____

6. ¿Qué si me preocupo por el dinero?

    a. Solo cuando tengo una crisis financiera. _____

    b. ¡Todo el tiempo! _____

    c. A veces, pero disfruto mucho gastándolo en lo que quiero. _____

    b. Realmente no. Tengo un plan financiero y tengo todo bajo control. _____

7. Al momento de recibir el estado de cuenta de mis tarjetas de crédito....

    a. Casi siempre es lo mismo. A veces gasto de más, a veces de menos. _____

    b. ¡Me sorprendo muchísimo! No tengo idea de donde salieron esas cantidades. _____

    c. Ya sabía que eso pasaría, siempre me paso... _____

    d. Nunca me sorprende. Llevo el control de todo lo que gasto. _____

8. Mi objetivo financiero es...

    a. Tener dinero suficiente para comprar todo lo que quiera. _____

    b. Ahorrar siempre para cualquier imprevisto, quiero sentirme seguro. _____

    c. ¿Objetivo financiero? ¡Ninguno! _____

    d. Generar buenas ganancias rápidamente a través de mis inversiones. _____

Preguntas	A	B	C	D
1				
2				
3				
4				
5				
6				
7				
8				
TOTAL				

PERSONALIDAD FINANCIERA:

GASTADOR – Personalidad A
TACAÑO – Personalidad B
IMPULSIVO – Personalidad C
INVERSIONISTA – Personalidad D

Identifica la letra correspondiente a la respuesta que escogiste y márcala con una x en la tabla anterior. Luego suma la cantidad de letras en cada columna. La letra con mayor número de respuestas será tu personalidad financiera.

Día 4

Reconcíliate con tu dinero

*"El bienestar financiero es un componente
esencial del bienestar general"
- Joe Lowrance, PHD.*

La mayoría de nosotros cuando pensamos en salud y bienestar, pensamos en el ejercicio, alimentos ricos en nutrientes, chequeos regulares con el médico, dormir lo suficiente. Pero muy rara vez pensamos que el dinero es parte fundamental de nuestro beneficio emocional.

UN POQUITO DE MI HISTORIA

Permíteme contarte algo más de mi historia. Nací en una familia de clase baja-media en la ciudad de Cali al sur de Colombia. Como madre soltera, mi madre tuvo que trabajar muy duro para sacarme adelante a mí y a mis dos hermanas, y lo sacrificó todo por su familia, por lo cual estoy eternamente agradecida. Y aunque nunca nos faltó techo, comida y ropa, tuvimos momentos de necesidad y escasez y tuvimos que aprender a vivir con lo justo. Crecí escuchando frases como: "Todo está subiendo de precio", "El dinero no alcanza", "Todo está muy caro", "Ahora la cosa sí está difícil".

Esas vivencias me hicieron desarrollar una mentalidad de escasez y a pensar que el dinero costaba mucho ganarlo. Me acostumbre a decir que "no tenía dinero" y a hacerme a la idea que siempre viviría con limitaciones. Sin darme cuenta, llamaba la pobreza, ¡la carencia y las ideas no fluían dentro de mí!

Esas creencias negativas y de carencia que se implantaron en mi mente, crearon bloqueos limitando mi bienestar y prosperidad.

La falta de dinero, el trabajo duro, y carencias emocionales y económicas impidieron la conexión con la prosperidad.

Hoy me doy cuenta que mi condición económica anterior tenía que ver con mi actitud hacia el dinero y las finanzas:

- Tenía apego al dinero, miedo a la pobreza, a la pérdida.
- Sin darme cuenta, el miedo y la mentalidad de pobreza impedían que el dinero llegara a mí, abundantemente.
- Siempre estaba preocupada y angustiada contando cada centavo que entraba en mi vida.
- Vivía en agonía.
- El dinero se me escapaba por un saco roto, no me alcanzaba para nada.
- Mientras más lo amarraba, más rápido se iba.
- Pensaba que el dinero era malo.

Hasta que descubrí mis creencias más profundas sobre el dinero y la manera que estas limitaron mi éxito por mucho tiempo y entonces todo cambió.

Pude identificar mis creencias más profundas sobre el dinero y sobre mí misma y la manera que estas limitaron mi éxito por mucho tiempo, mi victoria verdadera. Fue ahí cuando conocí el verdadero éxito, el éxito interno, el amor propio. Esto finalmente trajo libertad y propósito a mi vida. He podido desarrollar una mentalidad de riqueza, me convertí en una empresaria y he podido brillar en mi propio mundo. Gracias al constante aprendizaje interno y profesional, he logrado emprender exitosos proyectos, abrir mi mente a nuevas oportunidades y construir mi propio mundo empresarial.

Desafiar esas creencias de escasez en cuanto al dinero, ha sido la decisión más inteligente y precisa que haya podido tomar en mi vida. Puedo disfrutar lo que tengo y levantarme cada mañana agradecida con Dios por la prosperidad y abundancia que recibo en todas las áreas de mi vida. Soy una mujer valiosa, con destino y propósito divino. Pude relacionarme bien con mi dinero y pensar en el, de una manera positiva. Aprendí a hablar bien de mi amigo el dinero.

¿Cuál es tu Relación con el Dinero?

El primer paso hacia tu libertad financiera es mejorar tu relación con el dinero. Si tienes un amigo cercano y estás en constante pelea con él, ofendiendo y maldiciendo, tu amigo se va alejar de ti. Con el dinero pasa igual, si continuamente lo maldices e insultas, el dinero no va querer ser tu amigo. Pareciera que mantengas con el dinero una relación de odio.

Ya aprendiste en la sección de ayer frases como: "El dinero se acaba rápidamente", "El dinero es pecado", "El dinero corrompe", "El dinero no lo es todo", te alejan del dinero creando en tu vida pobreza, necesidad y carencia. Estas falsas creencias se activan en tu vida creando una inseguridad en tu mente y afectan tu autoestima. Cuando crees en tu mente que "Es mejor ser pobre, pero honrado", estas asociando el hecho de ser pobre con ser una persona íntegra y moral, lo cual aleja la prosperidad de tu vida. De esa manera, no vas a tener ahorros y vas a vivir en escasez toda la vida.

Todo lo negativo que escuchaste de tus padres en cuanto al dinero influyó en tu vida creando la persona que eres hoy en día. El dinero es lo que más afecta a los futuros emprendedores para empezar un negocio. Tener una relación sana con el dinero y con los recursos materiales, da paso al flujo de dinero a través de un continuo dar y recibir.

Y aunque te refieras al dinero de una manera despectiva, es un recurso fundamental que necesitas para vivir.

Hace parte de nuestra vida diaria, pero que desafortunadamente muchos asocian con la deuda y la escasez. Cuando alguien tiene una mala relación con el dinero significa que las finanzas no están en orden y que el dinero controla su vida, ya que la percepción de escasez de dinero, lo mantendrá pensando en ello de manera preocupante y enfermiza.

> Desafiar esas creencias de escasez en cuanto al dinero, ha sido la decisión más inteligente y precisa que haya podido tomar en mi vida. Puedo disfrutar lo que tengo y levantarme cada mañana agradecida con Dios por la prosperidad y abundancia que recibo en todas las áreas de mi vida.

COMO MEJORAR TU RELACIÓN CON EL DINERO

Ahora nos enfocaremos en alinear nuevas creencias con tu dinero. Te invito a que te desprendas de todo lo malo que veas a tu alrededor y enfoques tu energía en mejorar tu relación con el dinero. Estas son las claves para mejorar tu relación con TU DINERO:

Estar en Paz con la Energía Dinero

El dinero no es tu enemigo ni una energía maléfica, es sólo un medio de cambio, por lo tanto, el problema (falta de dinero), como la solución (vivir en abundancia) se encuentran en tu mente. Cuando la energía negativa de lo que sientes con él comienza a fluir en tu cuerpo, la energía de atraer el dinero se contrae y detiene el flujo de dinero en tu vida. De igual manera cuando la energía positiva es la que controla tu mente, el flujo de dinero comienza a fluir en tu vida.

No tengas miedo de admitir que el dinero es bueno para todo, incluyendo para resolver la mayoría de los problemas. Las sagradas escrituras dicen que el dinero es bueno para todo. Tú puedes tener paz financiera si sabes tener una buena relación con tu dinero. No necesitas sentir estrés cada vez que piensas en dinero, lo contrario puedes sentirte en paz y en bienestar financiero.

Elimina las Creencias falsas sobre el Dinero

Elimina todas las creencias distorsionadas que tengas sobre el dinero para manifestar abundancia en tu vida, no sólo porque no son verdad, sino porque van en contra de lo que Dios y el universo quieren entregarte. No permitas que las creencias negativas sobre el dinero sean una carga emocional en tu vida. Emociones negativas con el dinero influyen en la manera de manejarlo y recibirlo en abundancia. Enfócate en cambiar y alinear nuevas creencias con la energía dinero.

Elimina las excusas

Si alguna vez te escuchas a ti mismo hablar de alguien adinerado, escucha cuidadosamente tus palabras.

- No es buena idea que te permitas criticar a las personas que parecen poder disfrutar de estilos de vida lujosos diciendo que son ladrones, simplemente más afortunados que tú porque la suerte los acompaña, son más inteligentes, tienen más talentos, conocen secretos ocultos, o simplemente nacieron en riqueza. La realidad es que estos pensamientos son sólo excusas. Ellos no vieron excusas, buscaron oportunidades.

- Elimina la excusa de que la riqueza debe venir a expensas del tiempo con tu familia, eso no es más que una excusa.

- No seas de los que se pasan justificando sus fracasos o -

sus vidas mediocres, si algo no te gusta en tu economía, deja las excusas y decide que te moverás a la acción, intentar de nuevo, aprender algo, leer un libro, asesorarte con un experto y luego tomar una acción hacia tu éxito financiero.

Habla Bien de tu amigo el Dinero

Esto es muy importante. Aplica las Afirmaciones Positivas aprendidas en la pasada sección. Que el dinero se convierta en tu amigo y no en tu enemigo. Habla bien de él y verás la riqueza llegar a tu vida. Te invito a que desprendas de todo lo malo que has vivido con el dinero y que apliques la técnica de las afirmaciones positivas para atraerlo en abundancia a tu vida.

Acércate al Dinero

Acércate al dinero de una forma agradable y abandona la tortuosa relación con él. Tener más dinero no te va a hacer sentir más feliz, lo único que puede hacerte feliz, dichoso y abundante es tu actitud. Si tienes mucho pero no lo valoras, no disfrutas de lo que si posees. Si siempre te estás quejando o piensas que nunca es suficiente, te encontrarás en una insatisfacción continua.

COMO ATRAER LA ABUNDANCIA Y LA PROSPERIDAD

La abundancia es un concepto extraordinario que implica prosperidad, riqueza y bienestar y que todos queremos alcanzar para nuestras vidas. Vivir en abundancia es gozar de bienestar no solamente económico, sino de vivir feliz y satisfecho con la vida que uno lleva. Para muchos la palabra abundancia es sinónimo de dinero, pero abundancia también significa tener cosas que llenan tu vida, como la felicidad, la salud, la familia, tu trabajo, la prosperidad.

Vivir en abundancia es gozar de bienestar no solamente económico, sino de vivir feliz y satisfecho con la vida que uno lleva.

Aquí tienes algunas claves que te ayudarán a vivir y a pensar en abundancia y emprender el camino hacia el éxito financiero:

1. Enfócate en lo bueno y busca oportunidades

Piensa en el dinero como un recurso para lograr lo que quieres y no como un fin. Enfócate en toda la abundancia que ya posees, la casa donde vives, el auto que manejas, de la salud que gozas, la familia que tienes, el trabajo que posees. Empieza a disfrutar de lo que tienes y aprovecharlo todo para tu bien. Cada momento y cada recurso es una oportunidad para lograr tus ideales. No desaproveches las oportunidades que te brinda la vida de ser una persona mejor y de conseguir lo que quieres.

Repite: "Este día está lleno de oportunidades y abro mi corazón para recibirlas."

2. Piensa en ser una persona próspera

La prosperidad no es solamente tener dinero. Una persona próspera es capaz de utilizar todos sus talentos y recursos para generar abundancia y prosperidad para sí. Una persona próspera es capaz de generar dinero y buscar los recursos necesarios para emprender o conseguir lo que se proponga. A una persona próspera no le importa la crisis económica o los problemas políticos de su país para conseguir lo que quiere. Una persona próspera es creativa y encuentra soluciones a los problemas sin importar las circunstancias. Pensar en prosperidad atrae prosperidad. Si piensas en escasez, atraerás pobreza y necesidad.

Repite: "Libero todos los sentimientos de carencia y la limitación y acepto con alegría las bendiciones de amor, riqueza y abundancia."

3. Convierte tus necesidades en logros

En vez de estarte lamentando de lo que careces o necesitas, busca los medios para que esas necesidades se conviertan en beneficios y obtengas abundancia de ello. Si te enfocas solamente en lo que te hace falta, tu último fin será lamentarte y no verás más camino que tus carencias. Utiliza a favor tus carencias y busca la manera de transformarlas en abundancia para ti. Utiliza los recursos que tienes disponibles para encontrar soluciones a esas necesidades. Grandes empresas nacieron por medio de una necesidad o para cubrir una necesidad. No te limites a lo que ves ahora. Lucha por lo que quieres.

¿Estás dispuesto a atraer la abundancia? ¿Qué estás haciendo para lograrlo?

Repite:

"Este día está lleno de oportunidades y abro mi corazón para recibirlas."

"Libero todos los sentimientos de carencia y la limitación y acepto con alegría las bendiciones de amor, riqueza y abundancia."

CARTA DE GRATITUD AL DINERO

Te invito a que te reconcilies con tu amigo el dinero HOY.

Mejorar tu relación con el dinero es mejorar tu relación contigo mismo. A continuación, quiero que le escribas una carta y le escribas todas las cosas de las que estés agradecido, le pidas perdón por haber hablado mal de él y logres la reconciliación.

Buena suerte.

CARTA DE GRATITUD AL DINERO...

Querido amigo dinero $$:

Te doy las gracias por . . .

_____

_____

_____

_____

También te agradezco por . . . .

_____

_____

_____

_____

_____

_____

_____

Día 5
Convierte tu tiempo en riqueza

"El que no quiso cuando pudo, no podrá cuando quiera."
Atte. La oportunidad y el tiempo.
- Anónimo

La mujer considerada la más rica de Australia, fue también tildada de engreída y ruda cuando en una entrevista dijo lo que pensaba es la razón que muchos se quedan en la pobreza. *"No existe un monopolio para los que quieren hacerse millonarios. Si tu estas celoso de aquellos que tienen dinero, no te sientes allí solo a quejarte; haz algo para hacer más dinero para ti. Gasta menos tiempo tomando licor o fumando cigarrillos y socializando y más tiempo trabajando. Conviértete en una de esas personas que trabajan duro, invierten y construyen y al mismo tiempo crean oportunidades de empleos para otros. Australia necesita a ese tipo de personas"*.

- Gina Rinehart, una de las 100 mujeres más ricas del mundo.

Increíble que esta mujer mencionó un recurso que es común a todos los seres humanos, seamos ricos o pobres: El Tiempo.

El "Tiempo" es tu vida.

El "Tiempo" es dinero. "El tiempo huye para no volver"; "Veloz el tiempo que corre y solo queda el dolor de haberlo mal perdido". Para muchos las horas pasan como segundos, para otros, unos minutos pueden parecer una eternidad.

Cuando tienes tu tiempo bien organizado todo fluye a tu favor. El tiempo presente es el único que puedes usar. Es tu más valioso tesoro, nadie tiene más tiempo a disposición que el que lo tiene hoy en sus manos.

No te puedes dar el lujo de desperdiciarlo

La preocupación es una pérdida de tiempo. Cada momento que desperdicies preocupándote, es un momento que pierdes. Distribuye el tiempo, aumenta la capacidad de trabajo. No trabajes más del tiempo límite. Planea los meses, días, horas y minutos. No seas esclavo de tus hábitos.

El tiempo no se puede pedir prestado, ni guardarlo

Todo lo que puedes hacer es emplearlo, eso determinara el éxito o fracaso de tu vida. No te puedes dar el lujo de desperdiciarlo en cosas inútiles. El reloj solo mide el paso del tiempo, pero no el de alguien que tiene tiempo de sobra o lo malgasta. Muchos se excusan que no tienen tiempo para cumplir con las cosas importantes. El tiempo y el dinero son pilares del éxito y la buena administración financiera. Un emprendedor administra bien su tiempo.

¿Cuánto vale una hora de tu tiempo?

Una manera de calcular cuánto vale una hora de tu tiempo, es dividir tu ingreso actual entre el tiempo empleado en tu trabajo. Esto te da cuánto vale cada hora de tu trabajo.

Escribe cuánto vale una hora de tu tiempo aquí:

Tu ingreso actual:_____
Tiempo empleado en tu trabajo: _____
Divide las dos cantidades: _____

Preguntate:

¿Cuánto vale tu tiempo?
¿Cómo lo estás gastando?
¿Vale una hora de tu tiempo todo el esfuerzo invertido en esa actividad?

LADRONES DE TU TIEMPO

Los ladrones del tiempo son aquellas cosas que te quitan tu atención de lo que se supone debes hacer. Identificarlos te ayudará a trabajar en un plan para disminuir su impacto negativo y así aumentar tu productividad y eficiencia.

La Posposición

Evita posponer las cosas. Toma la decisión de evitar el posponer. Define la fecha y un plazo para la ejecución. Será muy fácil ejecutarlo. Hoy voy a hacer un poquito y mañana un poco más. ¿Vas a escribir una carta? Escribe una oración a la vez. Un paso pequeño. Haz algo para comenzar una tarea.

Las Excusas

Las excusas solo muestran que no eres capaz de organizar tu tiempo. Te engañas a ti mismo. No es solo querer las cosas y decir que no puedes tenerlas por una razón y la otra.

La lamentación

Pierdes mucho tiempo lamentándote, no se puede vivir en el pasado. El pasado no se cambiar, no se puede regresar el tiempo ni corregir errores. Lo que sí es posible es utilizar sabiamente el tiempo de hoy.

CÓMO APROVECHAR TU TIEMPO

Elimina lo innecesario

El trabajo aumenta en relación al tiempo disponible para su ejecución. Asigna solamente la cantidad de tiempo para cada tarea, no te excedas.

Saca tiempo de donde no lo hay

Elimina las pérdidas de tiempo que consumen tu vida. Mientras más ocupados, más rápido pasa el tiempo.

Anota el uso del tiempo:

Reorganiza tu vida. Anota lo que haces. Sé más productivo, no te demores tanto. Automatiza, delega, elimina las pérdidas de tiempo.

Levántate más temprano de lo acostumbrado

Levántate un poco antes de lo que estás acostumbrado. Una hora más temprano al día te da seis semanas adicionales de 40 horas al año. Esta hora extra, puedes utilizarla para tomarte un baño realmente refrescante, vestirte, orar, dar gracias a Dios, tomarte una taza de café fresco. Yo me levanto a las 5:00 AM, contesto correos electrónicos, hago mi lista del día y tomo un tiempo para orar y dar gracias a Dios.

No veas televisión

Ver televisión es una pérdida de tiempo, te absorbe energía y te vuelves adicto a ella. Te aleja de tu familia. Limita tu tiempo en el televisor. No veas cosas negativas.

Realiza tu trabajo en la mitad del tiempo

Reduce la cantidad de tiempo en hacer tus cosas. Tendrás más bienestar, tiempo y atraes lo bueno. Toma una hora y asígnale ese tiempo a una tarea, luego tomate 20 minutos para hacer algo completamente diferente y regresa a trabajar en el mismo proyecto por otra hora.

Haz una cosa a la vez

No se pueden hacer dos cosas al mismo tiempo. Escribe un plan y deja de preocuparte. Una cosa a la vez, quítate un peso de encima y ten paz.

Aprende a delegar

¿Vale todo lo que haces la cantidad de dinero que recibes? No malgastes tiempo valioso en cosas que otros pueden hacer. Delega.

¡Hazlo ya!

Así es, hazlo ahora y de esa manera, no te olvidas del asunto. Si esperas, gastaras más tiempo y energía, de todas maneras lo tienes que hacer. Responde de inmediato. No seas el último.

No aplaces las cosas

Aplazar las cosas es señal de debilidad y tiene mala reputación. Te desgasta. Mañana es el día más ocupado de tu semana.

6 Pasos para aprovechar bien el tiempo y crear buenos hábitos:

1. Coloca dos bloques de papel en tu lugar de trabajo o en tu computadora.

2. Escribe en uno la palabra urgente y en otro la palabra importante.

3. Escribe debajo de la palabra urgente lo que tienes que hacer hoy. Hazlo uno a uno hoy.

4. Escribe debajo de lo importante: Cosas importantes, pero no urgentes, pueden esperar.

5. Guarda el papel importante para mañana.

6. Empieza a hacer todo lo que es urgente hoy. Una sola cosa a la vez.

En la siguiente tabla, realiza el ejercicio, escribe lo urgente y lo importante que tienes que hacer esta semana. Urgente indispensable. Importante delegar-aplazar.

GESTION DEL TIEMPO...

Semana_____

Prioriza según tus objetivos diarios. Lo urgente es aquello que no puede esperar y tienes que hacerlo hoy. Lo importante lo puedes hacer mañana. Haz una cosa a la vez.

URGENTE	IMPORTANTE

Día 6
Desintoxica tu bolsillo

"Cuida de los pequeños gastos; un pequeño
agujero hunde un barco"
- Benjamín Franklin

¿Te imaginas que pasaría si te comes todo lo que se te antoje
y a la hora que se te antoje?

Cuando mi amiga Juliana se inscribió a la universidad en los Estados Unidos, ella era bien delgadita, es más, en Colombia había sido modelo de vestido de baño. Su historia es que, a los dos meses de haber llegado a la universidad, ya tenía más de 20 kilos arriba de su peso normal. ¿Cuál es la razón? Que en la cafetería de la escuela podía tomar sodas cada vez que tuvieras antojos, la soda era gratis, igual las meriendas de media mañana, media tarde y en la noche. Su nueva figura física estaba siendo controlada por los antojos.

Ahora imagínate, estás en la fila para pagar en el supermercado y ¿qué encuentras? Revistas de entretenimiento y de chismes de los famosos. Sin pensarlo una vez, lees un poco mientras esperas, miras el precio y las compras. No es que nunca deberías mirar estas revistas, ojearlas o creer que son detestables, sino que entiendas que el comprarlas es probablemente una compra de antojo.

Piensa, ¿qué harás con la revista? ¿De qué te servirá? Antes de comprarla recuerda que las personas que tienen salud financiera si invierten dinero en revistas y libros, pero de índole educacional, algo que les ayude a surgir en sus vidas. Esta revista es uno de los ejemplos de antojos que dañan tu bolsillo.

Un antojito de vez en cuando no te hace problema, pero un millón de antojitos sí que son un problema. Por ejemplo, si una revista te cuesta $4.99 y vas al supermercado mínimo 2 veces por semana y no sabes controlar la tentación, entonces estarás comprando 2 revistas por semana lo cual se traduce en:

2 x $4.99 = $9.98 /semana
Lo cual termina contándole a tu bolsillo:
$9.98 x 52 semanas: $518,96 /año

Cuando tenemos demasiadas compras como las que te mostré en este ejemplo, es como tener un bolsillo lleno de agujeros. La mayoría de los agujeros son pequeños y apenas perceptibles, pero por allí se esfuma tu dinero.

...es como tener un bolsillo lleno de agujeros. La mayoría de los agujeros son pequeños y apenas perceptibles, pero por allí se esfuma tu dinero.

Algunos le llaman a este tipo de gastos "gastos hormiga" porque una hormiga no sería un problema, la cosa es que nunca andan solas y un millar de hormigas es un gran problema. La gente le encanta este concepto, en mi segmento de finanzas en la cadena Univisión y es algo bien popular. Para que lo entiendas mejor, los gastos "hormiga", son esos gastos más pequeños. Son los caprichos o las diminutas cantidades de dinero que dejamos ir sin pensar por su bajo costo.

También están los gastos que no notamos porque son parte de un hábito personal: Un café diario en tienda hermosa, ¿quién no quisiera poder hacerlo? ¿Pero cuál es el retorno de dicho gasto?

Veamos el gasto:
$3.75 x 5 veces a la semana: $18.75
$18.75 X 4= $75
$75 x 12 = $975 al año

No quisiera parecer que te estoy vendiendo el volverte tacaño, pero sinceramente piensa en lo que podrías hacer con el dinero que ya te ganaste: puedes ahorrarlo para invertirlo en un negocio que siempre has querido tener o te lo sigues gastando de a poquito como que tienes un hueco en el bolsillo, se te va y no te das cuenta.

Esto no quiere decir que no te des el gusto de tomarte un café y disfrutarlo. Cuando te reúnas con tus amigos o amigas y se tomen un café juntos, el dinero que te gastes no será parte de esta ecuación debido al retorno positivo y significativo de tu gasto.

Otros gastos "hormiga"
• ¿Te gusta coleccionar? Ya sean libros de historietas, pocillos, vajillas o una colección de Star Wars, pregúntate si esto agrega valor a tu vida. Reducir tu hábito de coleccionar puede reducir el desorden y darle a tu cuenta bancaria un impulso que no habías pensado posible.

• Suscripciones de prueba que pagas en el internet y que luego se te olvida cancelar.

• Usar los cupones de 15% de descuento aunque no necesitas el producto.

• Inscribirte en un gimnasio al comienzo del año y nunca vas

• Comprar el plan de cable más caro y nunca tienes tiempo de sentarte a ver televisión.

LOS GASTOS HORMIGAS SON EL ENEMIGO DEL AHORRO.

Si hacemos un diagnóstico financiero, entonces, después de analizar estos ejemplos de historiales de gastos, podemos decir que hay tres razones obvias por las que es fácil gastar sin sentido, estas son:

- No planear.
- No estar bien informados.
- Ser despreocupados.

En la próxima sección vamos a darte un plan para que estés en control de tu éxito financiero.

7 PRINCIPIOS PARA CONTROLAR LOS "GASTOS HORMIGA"

Sé que te estarás preguntando, cuál sería el remedio para acabar o controlar estos 'gastos hormiga'. Acontinuanción te comparto siete principios que considero prácticos y valiosos para ayudarte a combatir este enemigo del ahorro.

Tener metas financieras claras

El no tener metas claras, nos hace que andemos a la deriva con nuestras finanzas. Si no tienes metas, no vas a planificar para ellas. Si tu dinero no tiene una razón para estar contigo, se ira al bolsillo de otro. Nunca te irías de viaje a otra ciudad sin un mapa y dirección exacta de cómo llegar. Nuestra vida financiera no tiene una dirección ni un camino. No planificar qué vas a hacer con el dinero que ganas, te llevará a gastarlo sin sentido, sin pensarlo y sin darte cuenta.

Ten un plan "casero" para tus antojos

- En lugar de irte a "happy hour", crea el ambiente en tu casa con un buen vino.

• Prepara tu café en casa, disfruta del proceso y llévalo al trabajo.

• Prepara una noche de películas en casa y si vas al teatro no gastes tanto dinero en comida.

Evita estar mucho tiempo con personas que te hacen gastar sin pensar

Todos tenemos unos cuantos amigos que cada vez que nos reunimos con ellos gastamos más de la cuenta. Siempre se inventan algo: Una salida costosa, una cena de comida lujosa o una aventura en un lugar exótico. Muchas veces no es cuestión de dejar de ver a tus amigos, pero es simplemente el lugar de encuentro y la temporada del mes o la semana.

Actitud de gratitud

Una actitud de gratitud por lo que tenemos nos hará menos propensos a comprar más cosas para sentirnos bien. Saber lo que tenemos y tener una actitud de satisfacción con lo que tenemos que es de valor y que no es pasajero. A veces estamos enfocados en lo que no tenemos y no en lo que ya tenemos. Enfócate más en lo que ya tienes y disfrútalo.

Estar bien informados

El estar bien informados es el 50% de la solución para llegar a nuestra libertad financiera. Buscar siempre la mejor opción por el mejor precio. Adquiere conocimiento. Me he caracterizado siempre por ser una persona estudiosa y enfocada en todas las metas que me propongo. Soy de las que pienso que como seres humanos debemos estar en la constante búsqueda de mejorar en todos los aspectos de nuestras vidas. No solamente progresar económicamente, pero también en lo personal.

Amplía tu conocimiento

No se puede vivir sin una aspiración o sin un sueño. Debemos fijarnos metas y trabajar para lograrlas. Nuestro mundo actual se mueve hacia una constante dirección en que las cosas cambian, la tecnología aumenta y donde la creatividad es recompensada. Aprende algo nuevo y hazte visible a producir nuevas ideas y llenar tu vida de experiencias que puedan ser valiosas. No solamente gastar.

¿Qué cosas son importantes aprender?

Bueno, lo que este libro te proporciona es un curso financiero que es práctico y completo. Felicitaciones por entender que parte de la ecuación de tu éxito financiero está en educarte.

No te dejes dominar por la apatía

La apatía es el desastre cuando estamos inundados de gastos insensatos. La falta de cuidado muchas veces ocurre cuando sabemos que nuestras finanzas son un desastre y conscientemente no hacemos nada al respecto. El remedio perfecto es la conciencia plena. Así es, de la misma manera que aplicamos técnicas de conciencia plena para nuestra vida emocional, también podemos hacerlo para la vida financiera.

Es por esto que he creado un movimiento para mujeres titulado: #FinanciallyFitLatina el cual comienza con un reto de 7 días que te provee esas herramientas que te pueden ayudar a permanecer positiva en el camino a la felicidad y al éxito financiero.

Una de nuestros miembros del movimiento nos dice: "Hemos hecho más progreso financiero que nunca, centrándonos en lo positivo y lo posible." Ese es exactamente la meta del movimiento.

El reto de 7 días para estar financieramente en forma te hará sentir como si te trasladaran de estar navegando sin rumbo a la carretera financiera correcta y eso te va a traer mucha tranquilidad.

Te invito a ser parte al visitar finantiallyfitlatina.com. Únete al movimiento!

Aunque no tenemos un movimiento para hombres en este momento, les aconsejo continuar con su plan finaciero y seguir todos los pasos de este libro al pie de la letra.

> La falta de cuidado muchas veces ocurre cuando sabemos que nuestras finanzas son un desastre y conscientemente no hacemos nada al respecto. El remedio perfecto es la conciencia plena.

PREPÁRATE PARA EL ÉXITO CUANDO SALES DE COMPRAS

Aquí tienes 24 consejos fáciles para hacer compras inteligentes que puedes utilizar en cualquier momento o lugar. Úsalos para ahorrar dinero y como guía para fortalecer tu poder adquisitivo.

1. El hecho de que un artículo este en venta, no necesariamente significa que es una buena oferta. Si no lo vas a usar, no lo compres.
2. Los artículos anunciados en comerciales, no son necesariamente los más baratos.
3. Está atento a las promociones especiales no anunciadas.
4. Compra al final de la temporada.
5. Para evitar compras compulsivas, no hagas compras después del trabajo, los días de pago, o justo antes de las vacaciones.

6. Compra artículos en liquidación o al precio de descuento. Nunca pagues el precio completo.

7. Planifica tus gastos. Evita las compras compulsivas.

8. Recuerda que ninguna tienda en particular tiene el precio más bajo en todos los artículos.

9. Debido a los descuentos por volumen, las tiendas más grandes son generalmente más baratas que las pequeñas.

10. Tus emociones afectan tus gastos. Ten cuidado con la famosa frase: "Me lo Merezco".

11. Prueba las marcas genéricas.

12. Almacena cuando los precios son bajos.

13. Ve a la tienda solo. Otras personas sólo te ayudarán a llenar tu "carrito" de compras.

14. Revisa toda la tienda para ventas y especiales.

15. Más grande no es siempre más barato. Más pequeño no siempre es más caro.

16. Conoce los empleados de tu tienda favorita. No tengas miedo de hacer preguntas.

17. Averigua los precios de los artículos que quieres comprar, mantén una lista de precios.

18. Compara, compara, compara. Así es como tu lista de precios te puede ayudar.

19. Recuerda que pagas más por envases o empaques bonitos.

20. Recuerda la "regla de tres": Si un artículo tiene tres maneras diferentes que puede ser utilizado, no estás malgastando su dinero.

21. Revisa siempre tu factura de compra.

22. Devuelve las compras que no cumplen con tus expectativas.

23. Llama antes de ir a la tienda y confirma si el artículo está disponible.

24. Deja las tarjetas de crédito en la casa. Espero que estas recomendaciones te ayuden a hacer compras inteligentes y así evites las compras por impulso.

Recuerda,
"!Vive Inteligente y Haz que Tu Dinero Cuente! "

AUDITORÍA DE LOS GASTOS HORMIGA DE LA SEMANA

Gastos Pequeños que se hacen GRANDES...
Anota todos los gastos pequeños que incurres a diario por más pequeños que
sean. Luego calcula su gasto semanal, mensual y anual. Al final podrás
determinar la cantidad que dinero que gastas en total en gastos hormiga.

GASTO HORMIGA	CANTIDAD SEMANAL	PRECIO UNITARIO	GASTOS (AHORRO)		
			GASTO SEMANAL	GASTO MENSUAL	GASTO ANUAL
Café		$	$	$	$
Chicles		$	$	$	$
Cigarros		$	$	$	$
Refrescos		$	$	$	$
Revistas		$	$	$	$
Comidas en la calle		$	$	$	$
Agua Enbotellada		$	$	$	$
Galletas		$	$	$	$
Helados		$	$	$	$
Accesorios		$	$	$	$
Snacks		$	$	$	$
Salidas Sociales		$	$	$	$
Papitas		$	$	$	$
Dulces		$	$	$	$
GASTO TOTAL			$	$	$

PARTE II

7 Estrategias para tu éxito financiero

Día 7

Realiza Una dieta financiera

*"Nunca nadie ha alcanzado estar financieramente en
forma con una resolución de enero
que se abandona en febrero"*
- Suze Orman

Tengo una amiga que es un gurú en el área de bienestar físico. Ella tiene un programa completo para adelgazar que es todo un éxito. Yo le he comprado sus libros, y también sigo muy de cerca sus consejos en las redes sociales. Algo que me llama la atención es ver los resultados impresionantes de las personas que siguen su régimen de alimentación, lo que muchos llaman "Dieta", solo que cuando tu miras los platos de almuerzos y cenas que ella sugiere para estar en forma, se ven súper suculentos, llenos de colores y de muchas vitaminas. Y yo que me he preparado unas cuantas recetas de las que ella sugiere, te digo que están llenas de sabor y uno queda bien lleno. Con esto quiero decir que para lograr tu objetivo alimenticio no tienes que pasar hambre. Puede que se sienta incómodo al principio porque esto requiere cambiar los hábitos.

Conozco a muchas amigas que han utilizado su sistema y uno de los comentarios más comunes es que además de haber perdido unas 20 libras de peso, se sintieron que estaban comiendo todo el tiempo, siempre satisfechas. ¿Por qué?, porque tienen lo que necesitan, no hay desperdicio en lo que comen, el cuerpo lo asimila y comen saludable. Nuevamente, lo incómodo no es el pasar hambre porque no hay tal cosa, lo incómodo es el cambio de Estilo de Vida.

Eso mismo pasa con nuestra dieta financiera.

¡A quien no le gustaría perder unas libras extras y hacerlo comiendo bien! ¿Y qué tal te suena el poder bajar unas cuantas "libritas" de peso financiero sin dejar de hacer lo indispensable, divirtiéndote, haciendo cosas nuevas y al final tener resultados saludables para tu bolsillo?

PONTE EN FORMA

Es interesante, pero la mitad de las cosas que te sugeriré que hagas en esta Dieta Financiera, también te ayudarán a bajar de peso corporal. Déjame darte solo un ejemplo, a medida que sientes que mejoran tus finanzas, te sentirás menos estresado, en paz y más tranquilo, lo cual te ayudará a bajar de peso sin darte cuenta. Adicionalmente, existen otras razones por las que bajarás de peso corporal, que más adelante te explicaré. Me da mucha alegría que te hayas decidido por este libro y emprender este viaje conmigo.

Te felicito porque si estás aquí es porque quieres ver un cambio en tu apariencia financiera. Si eres mujer y ya hiciste mi reto de #FinantiallyFitLatina recordarás que el primer día de nuestro reto consiste en comenzar una dieta financiera y pues aquí también te invito a que comiences si aún no lo has hecho. ¡Te invito a hacerlo! Entra a www.FinanciallyFitLatina. com y regístrate. Ya puedo verte convertirte en esa mujer 90-60-90 con tus finanzas.

Entonces qué tal si empezamos un régimen financiero de 21 días comenzando desde hoy. Es aconsejable que hagas esta dieta por 21 días, aunque termines de leer el libro en menos tiempo. Los expertos dicen que toma unos 21 días para crear un hábito.

Nuestra Dieta no es un ayuno
La palabra "dieta" está claramente ligada con la salud física especialmente cuando tenemos libritas de más.

Hay una diferencia entre hacer una dieta para llegar a tu peso ideal y sentirte en forma y hacer un ayuno en el cual simplemente dejas de comer para desintoxicarte. En la primera parte de nuestro libro hicimos un proceso de desintoxicación en el que te sugerimos ponerte en "ayuno" de tus pensamientos negativos respecto al dinero, antojitos peligrosos y cotidianos que te dejan el bolsillo vacío. También te dejamos la inquietud de trabajar en tu temperamento financiero para "ayunar" de las características negativas que son más individuales y referentes a ti en especial.

Ahora, una vez que hemos hecho el trabajo interno, estamos listos para ponernos a "dieta financiera". Este es un concepto, que como te decía, introduje a mis clientes y seguidores con un reto de 7 días llamado Financieramente en Forma y que por supuesto comienza con una "dieta Financiera".

Transformación a la vista

Es hora de tomar acción de manera educada y sabia en las áreas que podemos controlar, esto es lo que traerá la transformación de tu vida financiera.

Supongamos que te encuentras en un problema muy grande por causa de mala administración financiera. Dios puede darte un milagro financiero, pero debes sentarte y hablar contigo mismo, si sabes que te encuentras nuevamente (y por enésima vez) en el mismo hueco financiero. Es hora de que tú tomes el control de lo que solo tú tienes el control. Esta dieta es importante porque cuando cambias tu forma de manejar el dinero, te beneficias inmediatamente y aún más importante, aprendes los principios que te llevaran a la libertad financiera.

Cuando haces dieta alimenticia, aprendes a controlar tu apetito físico. Cuando haces dieta financiera, aprendes a controlar tu apetito financiero. Una buena administración del dinero consiste en vivir y gastar el dinero conforme a los principios básicos del dinero incluyendo las pautas espirituales establecidas por Dios cuya base, creo firmemente, es que Dios quiere abundancia y riqueza para tu vida y la mía.

Sin embargo, hay que tener cuidado de no estar utilizando una compensación material para saciar carencias afectivas. Cuanto más se busca la satisfacción en bienes materiales, menos se encuentra, y si la logras tener, la satisfacción es muy corta ya que comienzas a desear más. Y ese "más" que deseas, no siempre tienes la manera de adquirirlo con tus finanzas actuales. Y es así como no importa cuánto ganes o tengas guardado, sino aprendes a controlar tus gastos, puedes volver a caer en crisis financiera.

La dieta financiera es una forma poderosa de liberarse efectivamente de problemas financieros. Es la manera más rápida de cortar con el hábito de gastar en exceso. HOY comenzamos la dieta financiera, 3 semanas de ejercer la decisión consciente de gastar solo en necesidades básicas.

DIETA FINANCIERA PARA ALIVIAR EL BOLSILLO

El principio es sencillo: eliminar por tres semanas todo gasto que no corresponda a nuestras necesidades básicas y pagos mensuales ineludibles, como alquiler y servicios. Hay algunos otros requisitos adicionales, que resultan los más difíciles de cumplir para algunas personas, al menos así lo he visto en mi experiencia como coach de finanzas.

Hacer dieta financiera por 21 días es primeramente hacer prioridad de tus gastos y al mismo tiempo renunciar a otros para poder estabilizar tus finanzas. Es como sacar el ruido de tu vida en términos de compras para que puedas poner tu atención en otros aspectos de tu vida financiera. Estas son las características de la dieta financiera:

Prioridades de Gastos
En el momento que comienzas la dieta es bueno recordar que no debemos dejar a un lado ciertos gastos, como por ejemplo, donaciones a las que te has comprometido, esto podría incluir, diezmos, ofrendas y los gastos y las deudas que ya has adquirido y que debes pagar mensualmente, tales como:

- La hipoteca de tu casa o la renta,
- Pagos referentes al transporte, ya sean autos o transporte público y los seguros
- Educación de tus hijos o la tuya propia
- La comida para tu familia.

En otras palabras, los únicos gastos permitidos durante esta semana son: Gastos básicos familiares, de la casa, los hijos, comida, gasolina, donaciones.

 "Nunca nadie ha alcanzado estar financieramente en forma con una resolución de enero que se abandona en febrero" - Suze Orman

Compras NO permitidas

• No comprar ropa ni zapatos durante estos 21 días.

• No comprar maquillaje, ni nada que tenga que ver productos de belleza.

• No ir a restaurantes. No comprar comida rápida. Esto incluye tu desayuno y almuerzo en el trabajo. ¿Ves porque vas a perder unas libritas de más?.

• No se está permitido comer en la calle ni gastar un centavo en dulces ni pastelitos fuera de casa.

• No ir al centro comercial y mucho menos de "Window Shopping" (de vitrina).

• No utilizar tarjetas de crédito. Se prohíbe su uso, la compra de regalos y cualquier complacencia con el consumismo, como mirar vitrinas e incluso preguntar precios.

• Si tienes que dar un regalo, da uno hecho por ti, prepara una cena, una tarjeta, nada de compras. Simplemente, no está permitido comprar regalos durante la dieta.

• Si tienes una fiesta de cumpleaños, y no se te ocurre qué regalarle a la persona que no involucre hacer una compra de tu parte, aunque suene un poco extraño, dile a la persona que le darás el regalo después.

Así es, esta dieta financiera comienza con una dieta de gastos. La dieta adicionalmente, te ayuda a entrar en contacto con los placeres simples de la vida, que tienen una gran riqueza, caminar, ir al parque, comer en casa, actividades gratis y maravillosas planificadas por y para la comunidad, encontrar soluciones creativas para la diversión y la preparación de alimentos.

Si has pasado por la experiencia de hacer una dieta para adelgazar, esto será un juego para ti. Una vez hayas eliminado el hábito de gastar y gastar, luego descubrirás el placer de ahorrar y ahorrar.

Tener dinero extra es algo muy agradable. Poder dominar los hábitos negativos y reemplazarlos con hábitos positivos te traerá una sensación de seguridad, independencia y libertad de hacer lo que realmente quieres hacer con tu dinero.

Intercambios inteligentes

Estaba sentada en un Dunkin' Donuts en una cita de negocios. Me imagino que es obvio para todos que el menú principal aquí son las Donuts. Es por esto que uno no piensa en estar en esta deliciosa tienda cuando sabe que debe estar a dieta. Sin embargo, Donuts NO es lo único que venden, tienen una selección completa de cafés y de sándwiches, tienen opciones para el desayuno y también para el almuerzo.

Puedes creer que te venden allí un menú llamado "Menú Inteligente" en el que te ofrecen opciones deliciosas y más saludables para aquellos que como yo, somos conscientes del consumo de calorías.

¿Estás en Dunkin' Donuts y quieres cortar calorías? De acuerdo a la tienda no tienes necesidad de privarte de toda la comida y tus bebidas favoritas. Simplemente te sugieren que sigas sus recomendaciones de "Intercambios Inteligentes" en ciertos productos. Son simples sustituciones que te ayudan a mantenerse en el buen camino a sentirse mejor.

De alguna manera, esto me recuerda a nuestra vida financiera. La dieta financiera no tiene por objetivo el no utilizar dinero al punto de privarnos de todo. Lo que necesitamos es hacer nuestro propio menú de intercambios inteligentes.

Cuando te das cuenta que te gusta una copa de vino de vez en cuando, entonces mejor decide comprar una botella de vino en un buen supermercado y has tu "happy hour" semanal en casa, esta sería una sustitución inteligente. Gastas menos y te dura más.

Si lo tuyo es el café, cómprate un termo que puedas llevar contigo, cómprate los granos de café de buena calidad y prepáralo en casa. Disfruta el proceso, crea todo un ritual alrededor del tiempo de prepararlo y colocarlo en tu termo. Y así puedes hacer un intercambio inteligente de un delicioso café hecho en casa con mucha felicidad, en lugar de tu taza de café en la cafetería cerca del trabajo, en la cual tienes que hacer fila y a veces te desesperas porque no sabes si llegarás tarde a tus reuniones u otras actividades.

Ejemplos de intercambios Financieros Inteligentes
Aquí te comparto algunos consejos de cómo hacer Intercambios inteligentes en el día a día para tu dieta financiera:

- Empacar tu propia comida (cocinar en casa la noche anterior)
- Preparar y llevar tu propio café como te lo sugerí, lo cual puede traerte bastante satisfacción.
- No salir a un restaurante a comer a la hora del almuerzo y quedarte en el parque cerca de trabajo compartiendo con tus compañeros, disfrutando del aire libre y del almuerzo que trajiste de casa.

De vez en cuando puedes aprovechar el tiempo haciendo un proyecto personal, adelantar llamadas, emails o haciendo citas para los chequeos anuales de salud y de educación.

• Envasar tu propia agua en lugar de comprar botellas empacadas.

• Utilizar y comer lo que hay en casa. En lugar de mirar una receta gourmet e irte al supermercado a buscar lo que te hace falta, mira tú despensa y pregúntate qué nueva "Receta" podrías idearte con los víveres que tienes en casa.

• Buscar planes familiares alternos sin tener que gastar, como salir al parque, caminar, ir a la playa, jugar. Búscate un mapa de tu ciudad y mira cuales son las zonas verdes y decide visitar una cada fin de semana. Esta aventura podría resultar en muchas cosas buenas inesperadas.

Resultados medibles

Si reduces tus gastos, como, por ejemplo, llevar el almuerzo de casa a tu trabajo (si tu almuerzo cuesta $8 diarios). Y presumiendo que hay 20 días hábiles en este mes, te estarías ahorrando $160 mensuales en almuerzos.

Te lo muestro en este ejemplo:

1 almuerzo: $8
1 almuerzo de $8 x 20 días hábiles en un mes = $160 mensuales
$160 al mes en comida x 12 meses = $1.920 anuales

¡Si decides ahorrar este dinero, esto traduce a un ahorro de $1.920 anuales!

$8 Ahorro estimado diario
$40 Ahorro x 1 semana
$160 Ahorro x 1 mes
$1.920 Ahorro x 1 año
$9.600 Ahorro x 5 años

Piensa en qué intercambios inteligentes puedes hacer para que puedas vivir a plenitud lo que ya sabes que te trae satisfacción, pero sin que te dañe el bolsillo y tu libertad financiera.

REALIZA UNA DIETA FINANCIERA COMENZANDO HOY....

Elimina por tres semanas todo gasto que no corresponde a gastos esenciales básicos y necesarios familiares. Es recomendable ir al supermercado una vez por semana, comprar solo lo necesario antes de la dieta y no comprar nada extra.

COMPRAS NO PERMITIDAS X	GASTOS BASICOS ESENCIALES
NO comprar ropa ni zapatos	Cocinar y comer en casa
NO comprar maquillaje, ni productos de belleza	Diezmos, ofrendas, donaciones
NO ir a restaurantes	Comida,
NO compras de comida rápida	Medicinas
NO comer en la calle - Empacar comida	Pagos mensuales ineludibles
NO comprar regalos - dar uno hecho por ti	Alquiler - hipoteca
NO comprar nada extra	Ir al parque, actividades gratis, al aire libre
NO usar tarjetas de crédito	Servicios
NO ir a las tiendas solo a mirar	Deudas adquiridas
Preparar tu propio café	Seguros
Buscar planes familiares alternos	Educación, gastos de tus hijos
	Gasolina

Día 8

Crea un presupuesto que trabaje para ti

*"Nadie planea fracasar, pero muchos fracasan
por no planear"*

- Anónimo

Has notado que un hombre rico y un hombre pobre tienen mucho en común. Son ambos parte de la raza humana, a ambos los creó Dios, tienen vida y con ella viene la experiencia de crecer, desarrollarse, multiplicarse y al final está la experiencia de la muerte. La diferencia entre un hombre rico y uno pobre son solo dos centavos: el pobre se gana $1,00 y se gasta $1,01 el rico se gana 1,00 y se gasta 0.99 centavos.

Aunque este libro no te enseña cómo hacerte rico ahorrando 1 centavo por cada dólar que te ganas, la realidad es que en ese concepto es donde comienza todo. Si aprendes a planificar tus finanzas y organizar tu dinero puedes hacerte rico, si así lo deseas.

MI EXPERIENCIA

Soy una persona muy ahorrativa por naturaleza. Al pasar de los años, he aprendido a vivir con menos de lo que gano sin sacrificar la calidad.

• Siempre consigo artículos de muy buena calidad a la mitad o menos del precio regular. Solo me organizo e invierto un poco de tiempo en planificar.

• Nunca hago una compra sin antes revisar que haya un cupón disponible o de revisar si hay especiales en otras tiendas. Aunque tenga el dinero para comprarlo a precio regular, me aseguro de ahorrar al máximo.

• Una de las estrategias que yo utilizo y recomiendo es informarse bien sobre los precios de los productos que normalmente compramos para el día a día en nuestro hogar. Por ejemplo, en www.retailmenot.com puedes encontrar cupones disponibles de muchas tiendas o compañías.

En mi plataforma de finanzas puedes encontrar también un sin número de ayudas y consejos de cómo ahorrar y obtener artículos de muy buena calidad. Visita www.livingmoneywise.com

Esta es la primera regla y una de las más importantes al momento de planificar tus finanzas: Aprende cómo gastar menos de lo que ganas. Aprende a vivir con lo que ganas. Si ganas $1,000, no gastes $1,000. Prepara tu propio presupuesto y ajústate a él.

¿QUÉ ES UN PRESUPUESTO Y PARA QUÉ SIRVE?

Comencemos con lo primordial y con las definiciones importantes. Hablemos de que es realmente un presupuesto y para qué nos sirve. Aunque esto suene muy básico, simple y repetitivo, la mayoría de los individuos no tienen un presupuesto mensual para monitorear sus gastos e ingresos. ¿Sabes cuál es el principal error que se comete a la hora de organizar un presupuesto? Que muchos lo ven como aburrido, difícil y que se requiere ser muy disciplinado.

La realidad es todo lo contrario: un presupuesto es una herramienta que te motiva cada mes a mejorar la economía familiar. Y es que por más monótono que parezca, es el documento básico para controlar tus cuentas y aumentar tus ingresos.

Un presupuesto es una herramienta que te motiva cada mes a mejorar la economía familiar.

Muchos emprendedores no tienen un presupuesto mensual en forma para manejar sus finanzas. Lo importante aquí es contestar a la pregunta: ¿Tienes uno para ti?

Gracias a él, puedes emplear el dinero de forma responsable, sin gastar más de lo que ganas. Te ofrece como resultado el saldo final sobre la diferencia entre lo que ganas y lo que gastas. Si tus ingresos superan a tus gastos, eres capaz de ahorrar y estos ahorros los puedes invertir o comprar algo nuevo que anhelabas. Si tus gastos son mayores, tienes que buscar la forma de reducirlos.

La creación de tu presupuesto familiar, incluyendo tu lista de categorías es un proceso continuo. Todo el tiempo puede cambiar. Un presupuesto es como tu GPS, como un mapa, una guía que te va a ayudar a llegar a fin de mes.

Sea cual sea tu situación económica, el presupuesto es una herramienta imprescindible para controlar tus finanzas personales.

Un presupuesto es una herramienta que te sirve para saber en qué gastas el dinero. Hacer un seguimiento de tus gastos y ser consciente de ellos para evitar derrochar dinero y poder ahorrar. Adicionalmente te ayuda a:

• Reducir o eliminar tus deudas.
• Apartar una cantidad todos los meses para tu ahorro.
• Acumular un fondo de emergencias y poder afrontar gastos inesperados (una enfermedad, un daño de tu auto, la pérdida de empleo).

- Vivir de acuerdo a tus posibilidades, con tranquilidad y seguridad.
- Hacer planes a futuro, vacaciones, la compra de una casa, un auto, un negocio, etc...

Un presupuesto te permite planificar qué hacer con el dinero que tienes, es una guía para tomar buenas decisiones financieras, te da oportunidad para planificar tus finanzas con calma, hacer comprar de forma racional y no por emoción.

Lo aconsejable es seguir la regla del 50/30/20: Un 50% de tus ingresos debería estar destinado a tus gastos fijos, como pago de vivienda, un 30% a tus gastos personales, como ropa, salidas y diversión, y un 20% a conseguir tus metas financieras, como ahorrar e invertir.

Independientemente de la cantidad de dinero que ganas, un buen presupuesto familiar te ayudará a realizar tus objetivos de forma más rápida y eficiente. Ese objetivo puede ser, por ejemplo, salir de deudas, aumentar tu ahorro e invertir. Con un buen presupuesto sin duda alguna sentirás la diferencia, pero para que esto ocurra necesitas actuar. No en un mes, en una semana o mañana, te invito a que actúes hoy.

3 PASOS PARA HACER UN PRESUPUESTO FAMILIAR

1- Hacer una lista con tus ingresos

En la primera columna del presupuesto hay que indicar cuáles son los ingresos familiares. Las entradas más importantes de dinero son, en general, tu salario o la pensión, en el caso de los jubilados. Otros posibles ingresos son las pensiones alimenticias, los intereses de cuentas bancarias, las prestaciones por desempleo y los trabajos extras.

2- Evaluar los gastos

Los gastos son todas las salidas de dinero. Para saber en realidad en qué situación se está, hay que incluir todos los gastos actuales, desde la vivienda hasta los pequeños desembolsos diarios. Y no se deben olvidar otros ocasionales como las vacaciones, los regalos de cumpleaños y las compras navideñas o las rebajas.

Cuanta más información contenga el presupuesto, más válido es. Por ello, conviene recopilar los documentos necesarios: recibos de domiciliaciones, compras, extractos de bancos, libretas, talones y facturas.

El problema surge cuando los gastos superan a los ingresos durante varios meses seguidos. Entonces se agotan los ahorros y hay que endeudarse para atender a los pagos. Es aconsejable que los gastos no superen el 90% de los ingresos, para poder ahorrar, como mínimo, el 10% restante cada mes.

3- Mira los resultados

Ahora resta tus gastos mensuales de tu ingreso total. Aquí te das cuenta si tienes pérdida o ganancia. Si te queda dinero al final del mes para ahorrar o si debes reducir gastos. Tu presupuesto te indicará cuánto dinero te queda para ahorrar, para divertirte, o si necesitas generar más.

OTROS COMPONENTES CLAVES

También, es necesario entender los siguientes componentes claves, los cuales te ayudarán a comenzar a construir un presupuesto mensual y anual:

Ahorros

Cuando desarrolles tu presupuesto trata de incluir una entrada para tus ahorros. Inclúyelos en tu presupuesto. Si presupuestas tus ahorros, es más fácil ahorrar.

Rehacer tu presupuesto periódicamente

Tambiénes importante revisar constantemente tu presupuesto. A medida que cambian tus finanzas, es importante ajustar tu presupuesto. Ya sea que hayas recibido un aumento o iniciado una familia, haz un seguimiento de sus gastos corrientes y haz los ajustes necesarios.

Definiciones importantes

En este momento, es importante definir algunos conceptos relacionados al presupuesto y las finanzas personales tales como:

- **Los gastos fijos** son los gastos que permanecen iguales de mes a mes, como los pagos de alquiler o hipoteca.
- **Los gastos flexibles** son gastos que cambian de mes a mes, como cuánto gastas en servicios públicos.
- **Los gastos totales** son la cantidad combinada de tus gastos fijos y flexibles.
- **El ingreso mensual** total es el ingreso de tu trabajo u otros recursos incluyendo dividendos de inversión, pensiones, beneficios de Seguro Social, renta de alquiler y más.
- **El ingreso disponible** es el dinero que te queda después de restar tus impuestos sobre la renta de tus ingresos.

NECESIDADES Y DESEOS

Existe una diferencia entre una necesidad y un deseo. Muchos pensamos que esta diferencia es subjetiva y muy personal. Para ayudarte a descifrar la diferencia, pregúntate a menudo ¿Qué deseas? y ¿Qué es lo que realmente necesitas?

Si todavía estás haciendo la "dieta financiera" este es un buen momento para evaluar tu situación actual y hacer dos listas: una para las necesidades y otra para los deseos.

Al hacer la lista, pregúntate lo siguiente:

¿Para que lo quiero?
¿Qué pasaria si lo tuviera?
¿Qué cosas son importantes y esenciales para mí?

Cuando tu lista esté completa, reevalúa lo que califica ese objeto como una necesidad antes de realizar cualquier compra que afectará tu presupuesto. Tómate el tiempo para revisar y ajustar tu presupuesto mensualmente hasta que encuentres un plan que funcione para ti.

PRESUPUESTO

El siguiente paso es crear tu presupuesto mensual utilizando esta hoja básica de presupuesto. Si te das cuenta que tienes dificultades en acomodar tu vida a tu propio presupuesto, puede significar que estás gastando más allá de tus medios o que tu presupuesto no es lo suficientemente específico. Asegúrate de tomar en cuenta todos los gastos. A continuación te muestro los elementos principales de un presupuesto y su definición para luego hacer el ejercicio:

1- Tus entradas mensuales

Ingreso principal
Escribe cuál es la cantidad de ingresos en el hogar.

Otros ingresos
Esta es la cantidad de ingreso secundario, puede ser el ingreso de tu cónyuge o un segundo trabajo que tengas.

Pensión
Cuánto dinero recibes de alguna pensión.

2- Gastos Fijos Mensuales

Estos son los gastos que no suelen variar mucho de mes a mes y no pueden dejarse de pagar. Entre ellos figuran:

Casa (renta/hipoteca)

En esta cantidad incluye el pago mensual más el seguro, asociación y cualquier otro gasto o impuestos que pagas por la propiedad donde vives. etc.

Comida

Incluye todos los gastos relacionados con los alimentos, incluyendo los utensilios para cocinar. No incluyas el dinero gastado en comer en restaurantes ya que este gasto debe incluirse en su presupuesto de entretenimiento.

Transporte (pago auto y seguro)

Esta cantidad es tu préstamo de auto mensual o pago de arrendamiento. Si tu auto ya está pago, puede ingresar cero.

Gastos Médicos

Si tu seguro médico no se deduce de tu cheque de pago, incluirlo aquí. También incluye tus gastos mensuales promedio por recetas, co-pagos y otros pagos relacionados con la medicina.

Educación

Matrícula, libros, honorarios y cualquier otro gasto educativo.

 Si tienes dificultades en acomodar tu vida a tu propio presupuesto, puede significar que estás gastando más allá de tus medios o que tu presupuesto no es lo suficientemente específico. Asegúrate de tomar en cuenta todos los gastos.

3- Gastos mensuales flexibles

Entretenimiento
Películas, conciertos, eventos deportivos, restaurantes, servicios de streaming, y cualquier dinero que gastes en entretenimiento.

Tarjetas de crédito
Si no pagas el saldo completo de tu tarjeta de crédito cada mes, ingresa la cantidad que pagas cada mes.

Cuidado de niños
Pagos para el cuidado de tus hijos, programas después de la escuela, niñeras, etc.

Otros posibles gastos flexibles

- Seguro de cualquier otro tipo (vivienda, o seguro de vida)
- Segundo pago de automóvil, si lo tienes
- Otros servicios que no se pagan mensualmente o que varian, como por ejemplo el agua cada 3 meses, etc.
- Transporte o tarifa de autobús
- Gas y aceite para tu carro
- Estacionamiento y peajes
- Merienda de los niños en el verano
- Gastos médicos
- Ropa
- Artículos para el hogar
- Artículos personales
- Matrículas de cursos o membresías educacionales
- Gastos escolares

Sumando todos los gastos anteriores tendrás el gran total de tus gastos mensuales.

Utiliza la siguiente tabla para configurar tu presupuesto personal.

PRESUPUESTO MENSUAL

MES / AÑO

NOMBRE _____

FECHA _____

INGRESOS

Ingresos / Bonos / Comisiones / Pensiones

Inversiones / Otros Recursos

TOTAL INGRESOS=

GASTOS

GASTOS DE LA CASA
Vivienda (Renta / Hipoteca)
Agua
Luz
Teléfono Fijo / Celular
Cable
Comida
Internet
Seguros (Auto, Vida, Casa)
Impuestos

GASTOS DE SALUD Y CUIDADO PERSONAL
Consultas Médicas
Medicinas
Peluquería / Belleza

GASTOS DE AUTOMOVIL
Pago Auto
Mantenimiento

OTROS GASTOS
Gastos de Educación
Entretenimiento
Ropa / Zapatos
Gastos Varios
Otros

TOTAL GASTOS=

GRAN TOTAL = Ingresos - Gastos   **Pérdida o Ganancia =**

DIARIO FINANCIERO

Después de haber completado tu planificación, intenta hacer ajustes y cíñete a tu presupuesto durante un mes:

1- Al final del mes, registra tus ingresos reales y tus gastos reales.

2- Calcula la diferencia entre lo que pensabas ganar y lo que realmente ganaste ese mes, y lo que pensabas que gastarías y lo que realmente gastaste.

3- Siempre mira ambos, lo que ocurrió ese mes que te produjo más ingresos, al igual que lo que hizo que subieran los gastos.

4- Te sugiero que visites mis portales en línea www.livingmoneywise.com y www.financiallyFitLatina.com donde puedes adquirir varias herramientas que te ayudarán a mantener la disciplina y a tener consciencia de qué factores afectan negativamente y positivamente a tu bolsillo.

Si eres mujer, te invito a que visites en mi tienda en internet: **www.FinanciallyFitLatina.com** y adquieras la Agenda y El Kit de Planificación Financiera, los cuales te ayudarán a crear tu presupuesto y mantener todos tus papeles y lo referente a tus finanzas en un solo lugar.

Día 9
Conoce los Tipos de Deuda

"Podemos pagar nuestras deudas con el pasado poniendo el futuro en deuda con nosotros mismos"
-John Buchan

Como sabes, un día emigre desde Colombia a los Estados Unidos siendo una madre soltera con una maleta llena de sueños y muchas ganas por triunfar. A pesar de todas las adversidades, siempre encontré las ganas de salir adelante y lograr mis objetivos. Con perseverancia, valentía y mucho esfuerzo, me convertí en una profesional de las finanzas y los negocios y escalé a un mundo profesional competitivo que logré conquistar. Yo he comprendido que si quiero un futuro próspero, no puedo ir por el mundo cargando las deudas de mi pasado. Esto es tan cierto en el área emocional como lo es en el área financiera.

DISCIPLINA FINANCIERA

A lo largo de mi vida profesional, he aprendido que la base del éxito financiero es la organización y la planificación financiera. No importa cuánto dinero ganes o tengas, si no tienes disciplina financiera, el dinero nunca te va a alcanzar.

He visto personas pasar frente a mí con mucho dinero, con columnas de inversiones, propiedades, negocios, pero que al pasar del tiempo se quedan sin un solo centavo. ¿Sabes por qué? Porque nunca se prepararon para su futuro, porque pensaron que el dinero que tenían en el momento iba a ser eterno y que nunca se les acabaría. Se dedicaron a gastar y a consumir y se llenaron de deudas, y lo perdieron todo. Vivieron todo el tiempo una vida de consumismo.

No necesito manejar un auto lujoso ni costoso para sentirme feliz, ni tener una cartera de marca para sentirme valorada y apreciada. Comprendí que mi valor viene de adentro, del amor propio, del amor de Dios. Para alcanzar la verdadera libertad financiera, primero tienes que "ser".

Tiene que haber un cambio personal en ti. Mejorar tu relación con el dinero. Luego viene el "hacer", esto es, ejecutar un plan de acción para conseguir tus metas financieras. Y entonces, y solo entonces, llegas a "tener" la libertad financiera que tanto anhelas.

Saber esto me ha ayudado a alejarme de obtener deudas que le hacen daño a mi bienestar financiero. Todos tenemos obligaciones económicas y en algún momento hace sentido tomar dinero prestado, pero no todas las deudas son iguales y no entender esto es peligroso para tus finanzas.

Ahora que ya identificaste tus obligaciones mensuales en tu presupuesto, podemos ver cuáles son tus deudas. Como te expliqué, debemos entender que no todas las deudas son iguales, por lo que llegó el momento de conocer los tipos de deuda que existen y cómo puedes asumirlas, teniendo en cuenta tus ingresos mensuales.

TIPOS DE DEUDAS

Existen tres tipos de deudas "Buenas, Malas y Muy Malas". En esta sección te las explicare en detalle. ¿Pero qué son las deudas? El término Deuda se origina de la palabra latín "Debita" que significa "Obligación de Pagar" o "Devolver Dinero". Tener una deuda es utilizar dinero prestado para comprar ahora y pagar más tarde. El problema es que la mayoría de las veces terminas pagando más del dinero prestado por el cobro de intereses.

Debemos entender que no todas las deudas son iguales, por lo que llegó el momento de conocer los tipos de deuda que existen y cómo puedes asumirlas, teniendo en cuenta tus ingresos mensuales.

Deudas "Buenas"

Son aquellas que se utilizan para comprar un activo que aumenta de valor con el paso del tiempo y se convierten en una inversión o que es una deuda que se aplica a un negocio que genera ingresos. Una deuda buena te brinda un beneficio. Algunos ejemplos son:

• La compra de una vivienda. Tienes techo, cobija y seguridad para ti y tu familia. Te da cobertura familiar y se valoriza con el tiempo. La vivienda puede generar ingresos al ponerla a la venta cuando el valor haya subido, o más adelante, podrías rentarla y generar ganancia o ganar ingresos mensuales.

• La compra de un negocio. Si te asesoras bien, y conoces el negocio en el que estás invirtiendo, una deuda de negocios con una buena organización se convierte en buena cuando te está generando ingresos.

• Otras deudas buenas son las relacionadas a los gastos que son imprescindibles o esenciales. Ya hablamos de la hipoteca, pero podría ser el alquiler de la vivienda, los gastos de comunidad o los préstamos para una carrera universitaria.

Aunque recomiendo buscar becas y otros tipos de ayuda para no endeudarte.

Deudas "Malas"

Una deuda mala es aquella que pagas, pero no produce beneficio ni bendición para ti ni tu familia. Una deuda de tarjeta de crédito con unos intereses altos es una deuda mala. Por ejemplo, un televisor que te costó $500 y lo pagaste con tarjeta de crédito, no tenías el dinero para comprarlo, te endeudaste, y ahora estas pagando el televisor con un interés del 17%. Pasan los años, su valor nominal era $500, pero terminaste pagando dos y tres veces más de lo que costó. Esta deuda se llevó dinero de tu familia, de tus vacaciones, y de tu economía familiar.

Cuando pensemos en gastos innecesarios, recordemos también aquellos que llegan de manera irregular, por ejemplo: Son tales gastos, que tenemos una o pocas veces al año. Si no tenemos un fondo de emergencia vamos a tener que financiar estos gastos. Es fácil olvidar de tales gastos, porque no son sistemáticos, como por ejemplo el pago de gastos de vacaciones.

Ya hemos insistido que cuando hay que economizar, en general, es más fácil empezar con este tipo de gastos, en los que están las comidas fuera de casa, las actividades de ocio, la compra de discos y películas, el cigarrillo, etc.

Una deuda mala es utilizar crédito o un préstamo para pagar por cualquiera de estos gastos innecesarios.

Hagamos un ejercicio

Crea una lista de gastos que incurres de vez en cuando, por ejemplo:
- La inspección y la reparación del coche
- Los gastos de fiestas
- Regalos de cumpleaños

- Vacaciones
- Ropa

Ahora, tomemos por ejemplo el gasto de unas vacaciones. Si piensas en salir este año en unas vacaciones y planeas gastar ahí $2,000. Tienes que preguntarte: cuál es el costo real total de tus vacaciones financiadas, miremos en esta tabla el resultado:

Gasto	Costo	Interés	Pago	Tiempo	Costo real
Vacaciones	$2,000	3%	$50 al mes	43 Meses	$2,110.00

En este ejemplo, estas vacaciones financiadas son una deuda "mala" porque, aunque el interés es bajo, ¡tu presupuesto no te permite pagar más de $50 dólares al mes!.

No quieres estar en la situación de financiar unas vacaciones hoy y sentir el peso de la deuda todavía 3 años más tarde. Es preferible ahorrar antes y pagar en efectivo algo que se ajuste a tu presupuesto actual. No dañes tu futuro millonario por la ilusión de pasar 6 días de vacaciones, y luego pasar 3 años sintiéndote miserable y pobre, porque no puedes salir de paseo ni a la esquina. Si gastas un peso de más se te va abajo el presupuesto y algo esencial se queda sin pagar.

Las deudas malas y el uso de las tarjetas de crédito

Las tarjetas de crédito son convenientes y fácilmente disponibles para la mayoría de las personas. Pero suelen tener el mayor costo de préstamos entre todas las otras opciones de préstamo.

Pueden tener sentido para las compras relativamente pequeñas cuando se puede pagar el saldo en su totalidad con el próximo pago.

Por ejemplo, puedes usar tu tarjeta para comprar un sofá nuevo que está a la venta por $ 200 o $ 300, siempre y cuando lo pagues por completo en el siguiente mes.

Si puedes pagar esa tarjeta de crédito completamente al momento de plazo de pago, realmente utilizas bien el dinero y no pagaste ningún tipo de interés. Si no, es una deuda mala.

Las tarjetas que te ayudan a acumular puntos de millas mientras pagas tus gastos mensuales a tiempo son convenientes una vez que realmente no te atrases y no pagues intereses.

Deudas "Muy Malas"

Lo peor que puedes hacer es adquirir un préstamo para pagar otro préstamo, el cual usaste para comprar cosas que no necesitabas. Por ejemplo, es hacer un préstamo de segunda hipoteca de tu casa para incurrir en un gasto no necesario o un negocio muy riesgoso.

Mal uso de las Tarjetas de crédito

Como ya te expliqué, las tarjetas de crédito no deben ser utilizadas para incurrir en deudas a menos que las puedas pagar en su totalidad mensualmente, o en situaciones donde las tasas de interés no te van a afectar un montón. Las altas tasas de interés son una receta para el desastre financiero. En este momento son consideradas una deuda mala o muy mala.

Miremos el mismo ejemplo de unas vacaciones financiadas con una tasa alta de interés y en la que tu presupuesto mensual no te da para pagar más que el mínimo de $50.

Gasto	Costo	Interés	Pago	Tiempo	Costo real
Vacaciones	$2,000	18%	$50 al mes	182 Meses	$4,423.22

A esto le llamamos una deuda muy mala.

- Estás gastando más de lo que puedes.
- Estas financiandolo con una deuda de tarjeta de crédito con un interés altísimo.
- No tienes presupuesto para pagar más que el mínimo requerido.

Estas vacaciones se ven fáciles de tomar con crédito, pero tu presupuesto no lo puede soportar.

Este es el mismo ejemplo de vacaciones, pero debido al alto interés de la tarjeta y que no tienes en tu presupuesto suficiente dinero extra para agregar a la tarjeta, terminarás pagando la deuda casi que en 15 años y pagarás casi $5,000 dólares con lo que podrías pagar más de 2 de las mismas vacaciones.

Antes de endeudarse y comprar ese teléfono inteligente de último modelo que te cuesta $1,000 dólares, debes preguntarte ¿Qué va a suceder conmigo si no compro este teléfono ahora? ¿Qué pasará? ¡NADA! Tu propia conciencia te va a decir que nada va a pasar. Entonces no hay que comprarlo.

Como evitar estar sobre-endeudado

- Los pagos de tus deudas NO deben superar el 35% de tus ingresos netos. Si este es tu caso, revisa qué gastos puedes disminuir.

- Analiza muy bien ingresos y egresos, tus gastos no pueden superar tus ingresos.

- Antes de tomar un nuevo crédito, analiza si tus ingresos son capaces de soportar una nueva carga crediticia, ningún crédito es gratis.

- No te dejes tentar por las súper-ofertas y mira si puedes posponer la compra.

- Al momento de obtener algún tipo de financiación, no te dejes llevar únicamente por la tasa de interés, pregunta si te cobran por el estudio de crédito y si tiene alguna penalización en caso de pagarlo anticipadamente.

- No aceptes todas las tarjetas de crédito que te ofrezcan, aunque no utilices la tarjeta, el cupo de la tarjeta de crédito hace que disminuya tu capacidad de adquirir otro crédito.

- Recuerda tener claro antes de tomar un crédito o invertir, que hay deudas de consumo y deudas de inversión. Las inversiones generan una rentabilidad.

- Paga a tiempo para evitar sobrecargos por mora.

- No es recomendable solicitar préstamos para pagar otras deudas.

- No se debe solicitar créditos para cubrir gastos básicos.

Tu carga de compromisos

La suma total de todo el dinero que debes es lo que comúnmente se conoce como la carga de tu deuda. Para determinar si tu carga es más de lo que puedes "resistir", debemos calcular la relación deuda / ingreso al comparar la cantidad que debes con la cantidad que ganas.

Utiliza la siguiente tabla para tener visible todo lo relacionado a tus deudas.

☑LISTA COMPLETA DE DEUDAS

En la siguiente tabla, identifica una a una tus deudas, pagos mensuales, tasa de interés, balance y fecha estimada de pago. Suma el total de las deudas. Nos vemos en la próxima sección. Buena Suerte.

DEUDAS	PAGO MINIMO MENSUAL	TASA DE INTERÉS	BALANCE	FECHA ESTIMADA DE PAGO
TOTAL				

Día 10
Planifica Una Cita con Tus Deudas

«Gastas dinero que no tienes, en cosas que no necesitas, para impresionar a la gente que no le importas».
- Will Smith

Tal vez lo leíste, pero ¿recuerdas la noticia que salió en un día de febrero del 2016? Kanye West, el artista norteamericano que adorna a su hija de dos años con pieles color pastel y se ha jactado de ejecutar simulacros de suicidio en aviones privados, envió una noticia bomba que dejaron a los medios sociales a punto de saturación, cuando anunció en Twitter que tenía 53 millones de dólares en deuda personal. La razón de tal deuda, él mencionó también en su cuenta de twitter, fue el resultado de seguir sus sueños en la industria de la moda. Todo por el "Fashion".

Quién podría creer que alguien que se gana 1 millón de dólares por concierto ¡pueda llegar a tener una deuda tan grande! ¡Así es! Las deudas no solo le acontecen a la gente pobre o con bajos o moderados ingresos. Puede sucederle a cualquier persona que toma dinero prestado.

Llegamos al punto que has estado evitando por tanto tiempo y que no has querido enfrentar: "Sentarte con tus Deudas". Ya conoces los diferentes tipos de deudas, hoy te propongo una cita cara a cara con tus deudas y que te enfrentes a ellas una a una.

Si las deudas que tienes hoy son las que utilizaste para financiar tu consumismo puro, tienes que asegurarte de haber leído la primera parte de este libro y estar comprometido con la transformación de tu mente. Este tipo de comportamiento dice todo sobre tu manera de ver el dinero:

No te importa quedar pobre debido a las deudas que financian estilos de vida de rico cuando no lo eres.

Esto le pasa a Kanye West y a cualquiera que no haya transformado su mente: en lugar de comprar fortuna, esto es, inversiones o bienes duraderos, se dedican a comprar la apariencia de la riqueza. Espero que las deudas que tienes hoy en día no hayan financiado tu estilo de vida rico. Espero que no sea así.

¿Sabías que las deudas son el dinero más caro del mundo? ¡Si! Porque provienen del trabajo de tu futuro sumado a una montaña de interés que crece y crece sin parar. Si tu índice de endeudamiento es elevado, es un síntoma de que estas sufriendo "Ignorancia Financiera". Quiere decir, que estás gastando más de lo que ingresas y comprando más de lo que vendes. Y esta conducta te puede llevar a una predecible crisis financiera. Para comprar tu casa o tu auto, tuviste que pedir dinero prestado. Pero los préstamos tienen un precio: los intereses que se tienen que pagar mensualmente al prestamista.

PLAN PARA NO SEGUIR INCURRIENDO EN DEUDAS

Si sientes que tu situación ya es crítica en términos de la deuda que ya tienes con tarjetas de crédito, me gustaría darte 3 consejos para que la situación no continúe empeorando, luego, en el próximo capítulo nos dedicaremos a crear tu propio plan para salir de deudas.

1 – Decide comenzar una desintoxicación pagando sólo en efectivo.

Dile NO a las tarjetas de crédito y comienza una desintoxicación ¡sólo en efectivo! Una de las mejores maneras de cambiar tus hábitos de gastos es pagar en efectivo.

- Cuando entregas el efectivo para pagar, eres consciente de tu gasto.
- Guarda el "plástico" y empieza a usar un sistema de presupuesto utilizando sobres para cada tipo de gasto.
- Crea un sobre para cada categoría: comestibles, vivienda, seguro, etc. y divide el dinero en los diferentes sobres.
- Si gastas $ 400 en comestibles cada mes, tú tendrás que retirar $ 400 en efectivo y lo depositas en el sobre de comestibles.
- Una vez que el dinero se ha terminado, se terminó. Esto te ayuda a controlar tus gastos y vivir dentro de tus medios.
- No financies tus compras con tarjeta de crédito, hazlo siempre en efectivo. Cuando entregas tu dinero y ves la forma como sale de tu bolsillo, te duele. Entregar el billete me hace sentir "incómodo".
- Paga siempre en efectivo y reduce el uso de tus tarjetas de crédito. Comprar a crédito es "Empeñar" tu trabajo del futuro. ¿No quieres hacer eso verdad?.

2 – Automatiza sus finanzas

Automatiza tus finanzas y ahorra tiempo y dinero. Si accidentalmente se te olvida pagar en la fecha de vencimiento de una factura, te costará $ 25 o más en cargos atrasados.

- Considera la posibilidad de inscribirte para pagar tus facturas automáticamente y pagarlas todas a tiempo.
- También puedes configurar transferencias bancarias automáticas desde tu cuenta de cheques a tu cuenta de ahorros, para establecer una meta de dinero.
- Como un bono adicional: Recuerda que la mejor manera de aumentar tu puntaje de crédito, es pagar constantemente a tiempo.

3 – Dile NO al consumismo

Como ya sabes, cuando utilizas tarjetas de crédito para financiar gastos que no se pueden recuperar tales como viajes, salidas a comer, televisores, teléfonos, ropa, estás creando una "deuda mala". Todo esto es mejor pagarlos al contado. Lo ideal es mantener una sola tarjeta para cualquier emergencia y no utilizar el resto de tus tarjetas, especialmente si tienen cargos anuales o intereses muy altos.

Lo más importante, es ponerle freno al uso de las tarjetas de crédito o usarlas inteligentemente. En algunos casos, las tarjetas de crédito son una parte fundamental en nuestra vida financiera, por ejemplo, no tener una tarjeta de crédito a tu nombre, puede disminuir tu puntaje de crédito en los Estados Unidos. En otros casos, es recomendable tener una tarjeta lista para casos de emergencias o para obtener puntos que puedes usar en tus vacaciones u otros beneficios. Esto es, si eres lo suficientemente disciplinado para pagar por completo todos los meses.

LA REGLA DE LAS 72 HORAS

El no saber utilizar las tarjetas de crédito te puede dañar tu vida financiera. ¡Una salida de compras te puede resultar muy cara! Los gastos hechos con tus tarjetas de crédito se amortizan meses o años después de simplemente un día de compras. Como dicen las sagradas escrituras:

«El rico domina a los pobres, y el deudor es esclavo del acreedor.» (Proverbios 22:7)

Te vuelves esclavo de las deudas. La deuda te convierte en un esclavo de los bancos. Pagas y pagas y no terminas de pagar. No ves el saldo bajar.

Ahora es el momento en el que me prometes que harás esto: Antes de endeudarte en una tarde de compras, quiero que te hagas las 3 preguntas mágicas y las medites:

¿Lo puedo pagar?
¿Realmente lo necesito?
¿Puede esperar?

Quiero también que sigas la regla de las "72 horas" antes de gastar:

- Antes de comprar, detente y espera 72 horas. Esto te dará tiempo para reflexionar sobre la compra y realmente darte cuenta si lo necesitas.

- Si pasan las 72 horas y pudiste vivir sin ello, significa que no lo necesitas. No lo compres.

¿Recuerdas a Mr. Kanye?

¿Recuerdas la historia que te comenté al principio? Bueno, como analista de finanzas se me ocurre que ese tweet del Sr Kanye pudo ser una estrategia que utilizó después de "sentarse con sus deudas". En cierto sentido, los tweets de West podrían haber sido simplemente una versión elaborada y moderna en busca de financiación de su deuda a la manera de los súper famosos.

De hecho, él le solicitó públicamente la ayuda de Mark Zuckerberg, a quien pidió mil millones de dólares para seguir haciendo arte. También dijo que estaría dispuesto a aceptar dinero de Larry Page, de Google, o cualquier otro financiador de esta altura.

¿Sabes porque lo hizo? Porque tiene que resolver su problema de solvencia económica.

Ahora estudiemos tu caso

Tu problema de solvencia financiera, lo podemos solucionar de dos maneras: Creando un plan para reducir las deudas o creando un plan para aumentar ingresos. Pero antes de llegar allá, miremos tu grado de solvencia financiera.

GRADO DE SOLVENCIA FINANCIERA

Ahora que identificaste tus deudas, hoy es tu cita con ellas para determinar tu grado de solvencia financiera. Necesitas saber si la carga de tu deuda es más de lo que puedes resistir.

Vamos a calcular la relación de tus deudas / con tu ingreso $

SOLVENCIA FINANCIERA = CANTIDAD QUE DEBES CON LA CANTIDAD QUE GANAS	
1. Total pagos mensuales fijos (alrededor del 4% del total que debes)	
2. Total salario mensual	
3. Divide tus pagos mensuales por tu ingresos mensuales	
4. Mueve el punto decimal dos dígitos a la derecha para obtener tu porcentaje.	

$$\text{SOLVENCIA FINANCIERA} = \frac{\text{INGRESOS MENSUALES}}{\text{PAGOS MENSUALES}} = \underline{\hspace{2cm}} \%$$

Grado de solvencia financiera 10% o menos = Finanzas saludables
Grado de solvencia financiera 10% al 20% = Finanzas en peligro

Un ratio de deuda / ingreso de 10 por ciento o menos significa que sus finanzas son excepcionalmente saludables, y las relaciones dentro de un rango de 10 a 20 por ciento representan un buen crédito, pero a un 20 por ciento o más, es el momento de evaluar su carga de deuda. Los acreedores serán menos propensos a dar un préstamo a alguien con una alta relación deuda / ingreso y los acreedores que tienden a cobrar tasas de interés más altas.

Día 11

Crea tu propio plan para pagar tus deudas

"¡No ahorres lo que te queda después de gastar,
gasta lo que te queda después de ahorrar!"
- Warren Buffett

La historia de la deuda de uno de mis clientes, es una que es muy común en las personas con un nivel de ingresos menor que el nivel de deuda que han adquirido. Voy a utilizar nombres genéricos para guardar la privacidad de ellos. Davis es un ingeniero de sistemas. Él y su esposa Viviana ganan un ingreso combinado de seis cifras, lo suficientemente fácil como para cuidar de sus dos hijos. Ellos viven en una ciudad donde el costo de vida es razonable.

Entonces Davis un día, decidió abrir una tarjeta de crédito, que pronto se convirtió en tres tarjetas de crédito, y antes de que él supiera lo que había sucedido, él tenía 13 líneas de crédito abiertas, comenzó a esconder la deuda de su esposa y pasaba la noche en vela tratando de averiguar cómo mantener la familia a flote.

En la cima de su deuda, mis clientes debían $107,000, que habían acumulado durante una década. Cuando uno de sus acreedores aumentó el pago mensual mínimo, el asunto empeoró.

Pero te preguntarás como yo, ¿De donde salieron todas esas deudas? La respuesta nos las da el mismo Davis después de hacer un plan de 5 años para pagar sus deudas que lo dejó ahora con ganas de ahorrar y no botar su dinero en intereses pagando por deudas del pasado.

Él nos dice: "Lo más importante que he aprendido durante este proceso, es que ser el proveedor para mi familia no significa sólo comprar todo lo que ellos quieren. La raíz de nuestros problemas financieros fue el simple error de pensar que decir 'No' a un deseo de mis hijos o mi esposa es fracasar como cabeza de familia y como proveedor. Un verdadero proveedor hace lo que es mejor para el éxito de su familia a largo plazo".

Deja de consumir, deja de gastar

Tienes que dejar de ser una persona consumidora y convertirte en una persona sabia generadora de ingresos, creadora de grandes empresas, de grandes proyectos. Vivimos en un mundo de consumismo que nos invita constantemente a gastar y a gastar. Así que deja de gastar en cosas que no necesitas solamente para estar al día con la moda, con tus amigos o con la sociedad. En vez de estar haciendo ricas a otras personas, dirige tu atención a construir tu propio imperio y llegarás a convertirte en una persona rica. No produzcas dinero solo para gastarlo.

Los fundamentos de la reducción de deuda son simples: Reduce tu gasto variable y coloca el dinero extra para los pagos de las deudas. Esto lo ha estado predicando el ya fallecido Larry Brucket al igual que los muy conocidos gurús financieros del día de hoy.

PLAN COMPLETO PARA SALIR DE DEUDAS

Voy a darte las ideas que he utilizado yo en diferentes etapas de mi vida financiera y algunos consejos que le he dado a mis clientes en el pasado, y que les ha resultado con mucho éxito. Mucho de lo que ya hemos mencionado hasta ahora debería darte una idea concreta de cómo salir de deudas, pero en esta lista te lo detallo y te lo coloco en orden de importancia:

Cortar los extras

Calcula los gastos en la lista y compara la suma a tu ingreso mensual. Si es menos de lo que ganas, utiliza el dinero extra como pago para las deudas. Si los gastos superan tus ingresos, necesitas reducir los gastos variables. Reducir el gasto discrecional por unos meses, como las salidas a comer y comprar ropa y zapatos, te va ayudar un montón y te lleva cada vez más cerca hacia la cancelación de tus deudas.

Reducir tus gastos fijos

Si cortar los gastos extras no es suficiente, trata de reducir tus gastos fijos. Toma medidas para bajar tus facturas de la casa. Refinanciar tu hipoteca con una tasa de interés más baja. Si tienes un buen historial de pagos, pídele a la compañía de tarjetas de crédito que reduzca la tasa de interés que te cobran.

Un ejemplo bien práctico es el pagar menos por el cable. Encuentra una opción de cable asequible que funcione para ti y te ahorre dinero. El cable mensual promedio es de alrededor de $ 100. Considera el uso de servicios de streaming de Internet que ofrecen una selección de espectáculos y películas por alrededor de $ 8 al mes. Por menos de $ 10 al mes, tienes flexibilidad y la capacidad de inscribirte y cancelar sin cargos de terminación.

Aumentar tus ingresos

Considera si hay alguna manera de aumentar tu salario o tu ingreso. Si siempre te dan un reembolso de impuestos grande cada año, eso significa que están reteniendo demasiados ingresos de tu cheque de pago. Si ese es el caso, puedes reducir tu retención de impuestos cambiando tu W-4 en el trabajo y así el extra mensual lo puedes abonar a las deudas. Más adelante encontrarás diferentes maneras de aumentar tus ingresos.

No olvides que te encuentras en dieta financiera y que ya has reducido tus gastos extras.

Transferir saldos de alto interés

En este momento, podrías considerar mover algunos de tus saldos de tarjetas de crédito de alto interés a una tarjeta con una tasa de interés más baja. Pero lee la "letra pequeña" en cualquier invitación para transferir saldos. A veces, tales ofertas de bajo tipo de interés sólo están vigentes durante períodos muy cortos de tiempo, después de lo cual la tasa se dispara. La consolidación de tu deuda en una tarjeta puede reducir tu puntaje de crédito si aumenta el porcentaje de deuda adquirida comparado al crédito disponible.

Prioriza los préstamos

Hay dos maneras de administrar los préstamos para pagarlos por completo. Considera las implicaciones de tu situación financiera antes de elegir un método y permanece en la tarea hasta el final. Analiza cuál de los dos métodos se ajusta más a ti y empieza a pagar tus deudas ahora mismo.

Método de la bola de nieve

Este método te ayuda a pagar las deudas dándole prioridad a los préstamos de acuerdo a su tamaño. Al pagar primero los préstamos más pequeños, podrás pagar varios préstamos rápido, y luego los pagos que hacías a las deudas ya pagadas lo aplicas a la siguiente deuda, creando un efecto de "bola de nieve". De esta manera, eres psicológicamente recompensado. Muchas personas se sienten más motivadas para pagar los préstamos si pueden ver un progreso visible. Al final de esta sección, encontrarás un ejemplo de la tabla para pagar tus deudas con este método.

Método de Avalancha

Pagar la deuda a través del método de avalancha es hacer primero el pago mínimo de cada deuda, luego usar cualquier dinero restante para comenzar a pagar la deuda que tiene la tasa de interés más alta. Una vez que hayas pagado la deuda de tasa de interés más alta, abordar la deuda con el siguiente interés más alto. El uso de este método puede resultar en el pago total de toda la deuda más rápidamente.

Pregúntate qué te dará el mayor impulso

Sobretodo un impulso psicológico. Desde el punto de vista financiero, es inteligente pagar primero tu deuda con el interés más alto. Después de todo, poner $500 para pagar una factura de tarjeta de crédito de $3.000 con una tasa de interés del 18% te ahorrará mucho más que pagar una deuda de $500 a un 6%.

Dicho esto, puede valer la pena darle prioridad a esa deuda más pequeña si sientes que obtendrás una gran satisfacción psicológica de borrar una deuda en su totalidad. "Una pequeña victoria" puede darte el impulso de seguir con tu programa. Busca la opción que más trabaje para ti.

Considera tu meta financiera.

El consejo anterior es muy importante, sin embargo, si tienes una meta financiera que es tu prioridad, la manera que quieres salir de deudas podría variar y por lo tanto la ecuación que decidiste arriba podría cambiar. Por ejemplo, Si estás planeando comprar una casa o un coche en un futuro próximo, puede valer la pena pagar todas las tarjetas de crédito que están cerca de su límite de crédito. Eso es porque la reducción de la "tasa de utilización" tendrá un impacto positivo en tu puntaje de crédito y potencialmente podrías calificar para tasas de interés más bajas en un préstano para tu casa o negocio, lo cual es considerado una deuda inteligente.

El poder de los $50

Esta fórmula financiera te ayuda a pagar tu deuda más rápido. Digamos que tienes una deuda de $3,000 a una tasa de interés anual de 18 por ciento. Si haces el pago mensual mínimo del 2% esto es, $60 por mes, te tomará ocho años pagar tu factura - asumiendo que no continúas gastando más dinero durante ese tiempo. Al final de los ocho años, habrás pagado $ 5,760 - casi el doble de los $ 3,000 iniciales. Mediante el pago adicional de $50 por mes, puedes pagar tu deuda en tres años en lugar de ocho, lo que te ahorra más de $1.800 dólares en interés. Pagar tu deuda más pronto te ahorra dinero.

Ten cuidado con cambios peligrosos

También en tu deseo de salir de deudas ten mucho cuidado de no caer en hacer cambios que te ayudan a sentirte que no tienes deudas pero que colocan en riesgo tu bienestar económico. Por ejemplo: Si tú estás endeudado con una gran cantidad de deudas de tarjetas de crédito de alto interés, podrías estar tentado a pagarla rápidamente mediante un préstamo a tu 401K (fondo de jubilación) o tomar un préstamo con garantía hipotecaria.

Eso suele ser un mal movimiento. Si incumples tus pagos de préstamos hipotecarios, puedes perder tu casa. El préstamo de tu 401 (k) te hará perder beneficios tributarios valiosos. Y si abandonas o pierdes tu trabajo, probablemente tendrás que pagar la cantidad prestada en un plazo de tres meses o enfrentar una multa fuerte.

TUS DERECHOS COMO DEUDOR

En los Estados Unidos existe La Ley de Prácticas Justas de Cobro de Deudas. Esta es una ley federal que te protege. Los acreedores no tienen derecho a acosarte. La ley les prohíbe a los coleccionistas lo siguiente:

- El uso de la amenaza, de violencia u otros medios criminales para dañar a una persona o a su reputación o propiedad.
- El uso de lenguaje obsceno o abusivo.
- Llamadas repetidas con la intención de molestar o de hostigar.
- Falsa afiliación con el gobierno, incluyendo el uso de una insignia o uniforme.
- Amenaza de arresto.
- Comunicación por cualquier medio en lugares y tiempos inusuales o inconvenientes.
- Comunicación con terceros sin el consentimiento del deudor.

Si crees que se han violado estas regulaciones, considera hacer una queja con la Oficina de Protección Financiera del Consumidor llamando al 855-411-2372 o visita www. ConsumerFinance.gov. Averigua en tu país acerca de esta ley y asegúrate de ejercer tus derechos como deudor.

Si tú estás endeudado... podrías estar tentado a pagar la deuda rápidamente mediante un préstamo a tu 401K (fondo de jubilación) o tomar un préstamo con garantía hipotecaria. Eso suele ser un mal movimiento.

La Bancarrota o Quiebra Financiera

En los Estados Unidos, se tiene una opción cuando las deudas son muchas y no hay manera de pagarlas. Como último recurso, la quiebra o bancarrota es una manera de eliminar las deudas o reembolsarlas bajo protección y supervisión de la corte. Algunas deudas, como los pagos por manutención de hijos, pensión alimenticia, multas, impuestos y algunas obligaciones de préstamos estudiantiles típicamente no se eliminan.

En otros países también existe como quiebra personal o empresarial.

La bancarrota como último recurso

La bancarrota es una opción viable sólo cuando todas las otras opciones se han agotado. Tal vez no puedas deshacerte de todas tus deudas y tu crédito se vea bastante afectado. Si la bancarrota es tu única opción, tienes que estar dispuesto a afrontar todas las consecuencias.

Posibles efectos y consecuencias de una bancarrota

• Aunque la bancarrota te puede ofrecer un deseado "borrón y cuenta nueva", también puede destruir tu crédito. Puede permanecer en tu reporte de crédito hasta por 10 años.

• Como tu puntaje de crédito se ve afectado negativamente, puede también reducir tus oportunidades de empleo, posiblemente afectando tu capacidad de comprar o alquilar una casa, y probablemente dará lugar a tasas de interés más altos en los préstamos futuros.

• La bancarrota es un registro público, lo que quiere decir que cualquiera tendrá acceso a tu información y darse cuenta de tus deudas.

• También incurres en gastos adicionales, como los servicios de un abogado, honorarios, tarifas y cursos de consejería de crédito.

• Si entregaste dinero a tus familiares o amigos en el último año, estos pueden estar obligados a devolverlos en un fideicomiso y pagar interés.

La siguiente tabla te ayuda a pagar las deudas utilizando el método de la bola de nieve, dándole prioridad a los préstamos de acuerdo a su tamaño. Al pagar primero los préstamos más pequeños, podrás pagar varios préstamos rápido, y luego los pagos que hacías a las deudas ya pagadas lo aplicas a la siguiente deuda, creando un efecto de "bola de nieve". De esta manera, eres psicológicamente recompensado.

CANCELACIÓN DE DEUDAS CON EL MÉTODO DE LA BOLA DE NIEVE

Ordena tus deudas de menor a mayor en cantidad de dinero. Paga el máximo que puedas a la primer deuda y haz el pago mínimo en las demás y así vas a eliminar una a una.

DEUDA	VALOR	TASA DE INTERÉS	TIEMPO DESEADO A PAGAR	PAGO MÍNIMO +	PAGO EXTRA
1				+	
				+	
				+	
				+	
2				+	
				+	
				+	
				+	
				+	
3				+	
				+	
				+	
				+	
				+	
4				+	
				+	
				+	
				+	

Día 12
Construye un fondo de emergencia y de reservas

"La razón de tener un fondo de emergencia es simple:
Tu no sabes lo que va a pasar en en la vida".
- Dave Ramsey

Mi amiga Sandra tenía una bella perrita maltés que ahora estaba muy enferma. Aquella muñeca la había acompañado por 15 años, era como un miembro de la familia. Cuando su perrita dejo de comer, ella recurrió inmediatamente a la clínica de emergencias para mascotas de la ciudad, era un sábado en la noche y el costo total del tratamiento de esa noche llegó por 350 dólares. La cara de los médicos decía bien claro que el fin estaba cerca.

Una triste semana le siguió a esta visita al veterinario y su perrita finalmente falleció con dignidad. Este acontecimiento inesperado dejó a la familia con un gasto de más de $2,500 dólares inesperados. Mi amiga se sentía muy triste, pero podía disfrutar de un sentimiento de agradecimiento a Dios por los 15 años de compañía de su perrita y de poder haber tenido guardado el dinero de emergencia para darle a su princesa una muerte digna.

... ¿Y tú, qué botón normalmente aprietas cuando tienes una emergencia financiera?

Aceptemos que eventualidades financieras hay todo el tiempo. Es, pues, el fondo de emergencia un alivio y un pendiente constante.

Confieso que mi fondo de emergencia me ha salvado de varias cosas y que cada vez que lo uso me doy una palmada en la espalda por tenerlo. Para muchos, juntar este dinero de nuevo cuesta más trabajo que dejar de comer pan. Otros no logran mantener seis meses de gastos fijos porque algo pasa y reponer dinero a su fondo de emergencia es menos divertido que seguir juntando para pagar la casa, el carro o un viaje.

Por mucho que nos preparemos para los eventos de la vida, lo inesperado puede suceder. Tu mascota podría necesitar un tratamiento costoso. Tu coche podría descomponerse y requerir reparaciones costosas. Podría dañarse tu teléfono inteligente y tener que reemplazarlo. Cualquiera de estos gastos no planificados podría afectar tu presupuesto en cientos o miles de dólares.

Un estudio reciente encontró que el 63 por ciento de los estadounidenses carecen de los ahorros para pagar una emergencia de $500 a $1,000. Esto significa que casi dos tercios de los estadounidenses tendrían que recortar sus gastos o incurrir en deuda para cubrir emergencias, decisiones que podrían crear aún más estrés financiero. ¿Tienes tú el dinero para cubrir estos gastos inesperados? Ahí es donde está la importancia de crear y mantener un fondo de emergencia.

No hay necesidad de insistir en lo que pasaría, pero creo que es claro para todos que Si no se tiene un fondo de emergencia, las consecuencias podrían ser financieramente devastadoras.

¿Qué es un Fondo de Emergencia?

Un fondo de emergencia es el dinero que has ahorrado para ayudarte a cubrir los costos inesperados que vienen con la vida cotidiana. Esto podría ser una emergencia médica o reparación en el hogar. Muchos de estos costos no se pueden predecir, pero casi todo el mundo se enfrentará a este tipo de gastos a lo largo de sus vidas. Es por eso que tener un fondo de emergencia siempre vale la pena, porque no será sorprendido sin la guardia y sin los medios para resolver la situación financiera. Es inteligente construir y mantener un fondo de emergencia con tres a seis meses de gastos de vida.

¿Cómo se inicia un fondo de emergencia?

Comienza por establecer una meta de ahorro mensual y configurar los fondos para la transferencia automática a una cuenta de ahorros. De esa manera, ahorrarás dinero sin siquiera pensar en ello. Querrás ver de cerca tus finanzas para asegurarte de que estás ahorrando lo suficiente como para pagar gastos cotidianos y para cubrir una emergencia potencial. Más adelante en este capítulo te explico los pasos para lograrlo.

¿Dónde debes mantener tu fondo de emergencia?

Las cuentas de ahorro son el lugar más seguro para mantener tu fondo de emergencia para que no te sientas tentado a sumergirse en ella. Los fondos de emergencia deben mantenerse bastante líquidos para que puedas acceder a ellos rápidamente si surge un gasto inesperado. Si necesitas usar tu ahorro de emergencia, te alegrarás de que estén disponibles.

 Los fondos de emergencia deben mantenerse bastante líquidos para que puedas acceder a ellos rápidamente si surge un gasto inesperado. Si necesitas usar tu ahorro de emergencia, te alegrarás de que estén disponibles.

¿Cuánto debes ahorrar?

El tamaño de un fondo de emergencia probablemente cambiará como tu situación financiera, por lo que es importante revisar tu presupuesto y asegurarte de que estás cubierto. Para algunos, esto podría significar un par de transferencias grandes en una cuenta. Para otros, la construcción de un fondo de emergencia podría ser un proceso más largo y podría requerir depósitos más pequeños cada mes. La clave para la construcción de un fondo de emergencia es poner dinero aparte cada mes, no importa cuán pequeña es la cantidad.

Abre una cuenta especial para tu fondo de emergencia

El dinero no hace la felicidad, pero calma los nervios, nos ayuda a alcanzar nuestras metas, nos ofrece la manera de dignificar las situaciones difíciles. Un fondo de emergencia es una protección para inesperados al igual que para hacer un viaje cuando el momento oportuno se te presenta. Es por esto que cuando tenemos reserva de dinero y lo valoramos por lo que es, esta meta alcanzada nos da confianza en nosotros mismos, tranquilidad y seguridad. Disminuirán tus preocupaciones y ansiedad debido a que este fondo de emergencia lo estás construyendo con tú intención bien definida y por lo tanto te hace sentir empoderado.

> La construcción de un fondo de emergencia podría ser un proceso más largo y podría requerir depósitos más pequeños cada mes. La clave para la construcción de un fondo de emergencia es poner dinero aparte cada mes, no importa cuán pequeña sea la cantidad.

¿Cómo Ahorrar para tu fondo de emergencia?

Debido a que el ahorrar para un fondo de emergencia es un poco complejo, aquí te dejo 11 pasos para lograrlo fácilmente y rápido:

1- **Establece** en qué instrumento debes tenerlo. Piensa en algo que puedas sacar inmediatamente lo necesites, pero no tan fácil como para que te lo gastes en una tarde de depresión en el centro comercial.

2 - **Revisa** tu presupuesto y establece tus gastos fijos mensuales que tienes en la actualidad y que no puedes dejar de pagar ya que te traería consecuencias catastróficas, estamos hablando de la renta o la hipoteca de tu casa, tu medio de transporte, la electricidad, etc. Esto no se refiere a salir con los amigos.

3 - **Multiplica** esta cantidad por 3. Este sería la suma que necesitas para un fondo de emergencia de 3 meses. Si multiplicas la misma cantidad por 6 te da la suma de la cantidad de dinero que necesitas ahorrar para un fondo de emergencia para 6 meses.

4 - **Colócate** una primera meta de juntar el fondo de emergencia para 3 meses y luego cuando llegues a la meta, colócate la meta de ahorrar para un fondo de emergencia de 6 meses.

5- **Establece** un monto mensual que puedes asignar a este fondo y que te lleve a alcanzar tu meta sin mucho trabajo ni esfuerzo.

6 - **Analiza** cuanto tiempo te vas a tardar en juntarlo. Divide los 3 meses entre la cantidad que estás dispuesto a aportar al fondo.

7 -**Empieza tu ahorro hoy.**

8- **Aporta** cada vez que tengas un dinero extraordinario o no esperado como un aguinaldo, un bono, te ganaste la lotería. Recuerda aportar a tu fondo de emergencia.

9- **Si usas un dinero del fondo** debes hacer un esfuerzo por reponerlo lo antes posible.

10- **Junta algo.** No importa si tienes deudas y sólo puedes ahorrar la mitad de lo establecido, junta algo para tu fondo de emergencia. Si no logras los 3 meses no te desesperes, solo sigue juntando.

11- **No lo dejes para mañana.**

Establece metas financieras
Proponte metas a corto plazo porque son más fáciles de lograr. La manera más fácil y rápida de empezar a ahorrar es establecer un fondo de ahorro automático directo. Separa una cantidad fija cada semana. Puedes comenzar tan solo con $25 al mes.

Autoriza a tu banco que transfiera la cantidad establecida de tu cuenta de cheques a tu cuenta de ahorro. Sin darte cuenta, tu ahorro crecerá y no te hará falta el dinero que estás ahorrando. Transfiriendo $100 automáticamente cada mes de mi cuenta de cheques desde hace unos cuantos años, ¡mi ahorro para vacaciones ha crecido notablemente!.

Aquí te dejo unos consejos básicos para ahorrar para tu fondo de emergencia:
• Ahorra las monedas y el dinero que te sobra al final del día en una alcancía. El guardar 0.50 centavos cada día por un año, te permitirá ahorrar casi $200.

• Cuando recibas cambio en pequeñas cantidades como $1, $2, $5 decide ahorrarlos. Ahorrar $1 diario te dará $360 al final del año.

• Cuando pagues con tu tarjeta débito pide dinero de vuelta (cash back) y ahorra la diferencia. Recuerda que cada dólar cuenta y que un dólar aquí y uno allá, te ayuda a ahorrar para tu fondo.

Ahorra en gastos del hogar
• Desconecta el teléfono fijo y solo paga por internet y cable. Todos tenemos hoy en día teléfonos inteligentes y no necesitamos tener un teléfono fijo en casa.
• Averigua en tu ciudad cual es la mejor manera para ahorrar en el servicio de la electricidad.

• En vez de llevar tu ropa a la tintorería, lávala y plánchala tú mismo. Lavar y planchar una camisa te cuesta alrededor de $3 y si lo haces tú mismo, te puedes ahorrar hasta $200 al año.

• Cancela las membresías de clubes y gimnasios que no uses. Pagamos alrededor de $30 mensuales para ir al gimnasio, pero nunca vamos. Si la cancelas, puedes ahorrar $360 al año.

• Pagas por una membresía para ver películas por internet que pagas automáticamente desde tu cuenta bancaria y ni siquiera has visto la primera. Por lo general pagas de $10 a $20 dólares al mes, así que te puedes ahorrar hasta $200 anuales.

• Ajusta tu cable de televisión a uno básico. Tienes un plan con 300 canales de películas que nunca ves. En vez de pagar $100 por uno Premium, paga $30 por uno básico y ahorra hasta $500 al año. Es mejor alquilar una película cuando la quieras ver que tener un montón de canales que no usas.

• Ahorra en pequeños gastos diarios como te enseñe en la sección de los gastos innecesarios que comúnmente conocemos como los "gastos hormiga", por que son pequeños y no los vemos: El café diario, las sodas, los dulces, la revista, los cigarrillos. Todos son gastos mínimos pero que abarcan gran parte de nuestro presupuesto.

• Ahorra en gastos de comida. También hablamos de esto cuando tocamos la dieta financiera. Yo te aconsejo que utilices lo que has ahorrado hasta ahora de tu dieta en construir un fondo de emergencia.

• Cuando vayas al supermercado, haz una lista y ajústate a ella. Haz un presupuesto y compra sólo lo necesario. Si tu presupuesto es de $400 al mes en comida, lleva solo efectivo y compra con tu lista.

Si no te queda dinero disponible al final del mes para ahorrar, tendrás que hacer ajustes en tu presupuesto mensual. Tienes que eliminar gastos y así aumentar tu capacidad de ahorro. El ahorro debe convertirse en un hábito en tu vida.

Sacrificando un poco cada mes, crearás tu fondo de emergencia y evitarás meterte en deudas para cumplir con lo inesperado. Sin un fondo de emergencia, es difícil mantener tu situación financiera al día.

Hagamos este ejercicio. Completa la siguiente información.

Total de gastos mensuales: _____
Fondos de emergencia que tienes disponibles: _____
Tiempo que los fondos de emergencia cubren: _____
Número de meses que necesitarás construirlo: _____

Suponiendo que el total de gastos mensuales es de $2,000 y quieres tener un fondo de emergencia de tres meses.

La ecuación sería así:
$2,000 Mensuales x 3 Meses = $6,000 Necesarios

Asumiendo que tienes $2,000 ahorrados, necesitas ahorrar:
$6,000 - $2,000 ahorrados = $4,000

Si quieres construir tu fondo de emergencia en 10 meses, entonces necesitas guardar:

$4,000 / 10 = $400 dólares mensuales

Acontinuación enocontrás la tabla para que escribas los pasos para construir un fondo de emergencia y de reservas, que te ayudará a ahorrar el dinero fácilmente y rápido

CONSTRUYE UN FONDO DE EMERGENCIA Y DE RESERVAS

Sigue estos 11 pasos efectivos para construir tu fondo de emergencia rápidamente.

	PASOS PARA CONTRUIR TU FONDO DE EMERGENCIA	DONE
1	Establece tu instrumento de ahorro	
2	Revisa tu presupuesto y determina tus gastos fijos mensuales	
3	Multiplica esa cantidad x 3 para 3 meses o x 6 para 6 meses	
4	Establece meta de juntar primero fondo de emergencia para 3 meses y luego para 6	
5	Establece un fondo mensual para tu fondo	
6	Analiza el tiempo que vas a tardar, divide los 3 meses entre la cantidad de tu fondo	
7	Empieza tu ahorro hoy	
8	Aporta cada vez que tengas dinero extra	
9	Si usas dinero del fondo, debes reponerlo	
10	Si no logras juntar los 3 meses de fondo, junta lo que puedas	
11	NO lo dejes para mañana	

Día 13
Genera ingresos con un trabajo extra

"Yo nunca soñé con el éxito.
Yo trabajé para alcanzarlo"
– Estee Lauder

Nely Galán, una mujer empresaria de mucho éxito en los Estados Unidos, cuenta que su historia de emprendimiento comenzó a muy temprana edad cuando sus padres, los cuales habían emigrado de cuba cuando ella era muy pequeña, hablaban sobre sus problemas financieros. Ellos no sabían cómo iban a pagar por la escuela privada de su hija de 10 años. Escuche su historia en una entrevista en un programa muy popular de un amigo productor de televisión y me fascinó su manera de hablar. Ella cuenta con mucha emoción, como si fuese ayer, que al escuchar sobre los problemas financieros, ella fue corriendo donde una vecina que en ese entonces vendía Avon y que la había reclutado para que vendiera en la escuela a cambio de dulces. Ese día, ella le propuso a su vecina vender Avon pero recibiendo ella la mitad de la ganancia. Fue así como Nelly comenzó a vender productos de AVON dentro su escuela. El primer mes vendió 800 dólares que le permitieron ayudar a sus padres a pagar sus estudios.

Nelly es una mujer muy conocida y exitosa en los medios de comunicación, sin embargo, la escuche decir en la entrevista, que ha ganado cinco veces más en sus inversiones de bienes raíces que lo que ha logrado en su carrera en los medios. Lo más increíble de la historia es que cuenta que su negocio en bienes raíces comenzó con 5,000 dólares de inversión. Pero la historia de su emprendimiento comienza cuando ella nota la necesidad de generar ingresos extras para pagar una deuda familiar.

Ahora que redujiste gastos, es hora de la segunda parte de la ecuación de aumentar ingresos. Una de las formas más rápidas de acelerar el pago de las deudas y también ahorrar para tus metas financieras, de las que hablaremos en la tercera parte de este libro, es encontrar un segundo empleo o una ocupación como lo hizo Nelly el cual te pueda generar un ingreso secundario.

Si eres dueño de tu propio negocio piensa en:
- Reducir gastos
- Aumentar precios
- Trabajar tiempo parcial en alguna otra actividad que tengas habilidad para hacer
- Aumentar tus honorarios
- Agregar un producto o servicio nuevo

Sin embargo, si trabajas tiempo completo para alguien más y no estás interesado en conseguir otro trabajo, y solo trabajas de 9 a 5, averigua si puedes trabajar horas extras en el trabajo que ya tienes. Pero siempre con la idea de generar algo extra que no requiera mucho esfuerzo y que no sacrifique tu vida familiar. Aun si decides hacer un trabajo extra, mira las posibilidades de pedir un aumento.

Gana el salario que mereces
Si vas a pedir un aumento, necesitas Investigar cual es el salario típico para hacer el mismo trabajo. Haz una lista con tus logros de 1 año, esto es, trabajos terminados hasta la fecha de tal manera que puedas elaborar argumentos sólidos, cita proyectos, cifras, datos concretos, para probar merecerlo. Pide una entrevista al jefe, y cuando estés en la reunión, pide lo que deseas. Aunque no te parezca, esto te coloca en una categoría especial, ya que las personas por lo general temen pedir aumento.

También puedes buscarte un trabajo extra, utiliza el pluriempleo, trabaja tiempo parcial en lo que te gusta, ya sea algo formal o un trabajo que viene de organizar actividades como ventas de garajes o incluso comenzar un negocio formalizado que te genere dinero y en el cual puedas utilizar tus habilidades o los recursos que tienes en la mano.

Averigua si puedes trabajar horas extras en el trabajo que ya tienes. Pero siempre con la idea de generar algo extra que no requiera mucho esfuerzo y que no sacrifique tu vida familiar. Aun si decides hacer un trabajo extra, mira las posibilidades de pedir un aumento.

GENERA INGRESOS PASIVOS CON UN NEGOCIO DIGITAL

Los negocios por internet son los más anhelados por los empresarios ya que son más fáciles de construir y se pueden generar grandes cantidades de dinero.

Si eres una persona creativa que puede desarrollar una gran idea o modelo de negocio, entonces puedes generar dinero pasivo por internet. Pero para desarrollar este tipo de negocios, es necesario invertir suficientes horas para aprender y construir tu idea.

Puedes generar ingresos de las siguientes maneras:

1- Crea un Blog y vende Publicidad:
A diferencia de una página web, el blog es actualizable e interactivo. Se publican artículos frecuentemente y con contenido actualizado.

Crear un blog es una excelente manera de posicionarse y aumentar tu visibilidad. Construyes presencia online y tu propia marca personal. Eres dueño de tu propio espacio en internet donde puedes compartir todo lo que te gusta o sabes hacer.

A través de un blog puedes vender espacio publicitario, escribir artículos promocionados publicidad Google Adsense, venta de artículos de Amazon y otras más. A través de mis plataformas en linea: www.livingmoneywise.com y www.financiallyfitlatina.com genero buenas cantidades de dinero vendiendo publicidad y haciendo campañas digitales para grandes marcas.

2- Marketing de Afiliados:

En el marketing de afiliados puedes hacer dinero cuando ganes comisión del 5% y hasta el 40% por la venta de un producto. Tú ofreces y vendes el producto de una empresa a través de tu página y ellos te pagan una comisión por la venta. Esta es una fuente atractiva de generar dinero a través de un blog.

Se publican links de diferentes compañías de afiliados y ganas cada vez que uno de tus lectores da click a ese link. Es decir, ganas dinero por recomendar y promocionar productos de otras compañías. Hay muchas compañías de tipo "Clickbank" donde se registran empresas que ofrecen sus productos a base de una comisión. Tu escoges el producto que quieres publicar y la compañía con la que quieras trabajar.

3- Crea Videos para YouTube:

Muchos lo llaman emprendimiento a bajo costo. Solo tienes que crear tus propios videos, incluso desde tu propio teléfono, editarlos y subirlos a tu canal de YouTube.

Conozco muchas mujeres que son millonarias gracias a su canal de YouTube y que generan millones de visitas en un día. No importa cuál sea el tema, te puedes convertir en un triunfador y generar grandes cantidades de dinero en publicidad. Puedes hacer tutoriales de Tecnología, Photoshop, reparación de autos, belleza, moda, dinero o de algún tema que domines. Mientras más vean tus videos, más dinero ganas. Al igual que un blog, debes generar tráfico, una base grande de suscriptores y monetizar tu canal.

4- Crea Cursos en Línea:

Si tienes una cualidad o un don especial y te gusta enseñar, porque no compartirlo con otros y generar ganancias adicionales. No hay mayor satisfacción que compartir lo que ya sabes y ayudar a otros que lo necesitan. Hay muchos que necesitan de tus conocimientos y de tu experiencia y no tienen la disponibilidad de ir a una universidad ni pagar grandes cantidades de dinero para aprender. El internet brinda la ventaja de crear y ofrecer un curso en línea a bajo costo y hacerlo disponible a los estudiantes solo con dar un click. Hoy en día existen muchas herramientas que te ayudan con la cobranza, publicidad y envío de dinero fácilmente. Se creativo y original. El mundo necesita de ti. El mundo necesita lo que tú tienes.

5- Crea una Tienda Online:

El E-commerce sigue creciendo a niveles agigantados acercándose a millones de usuarios en cuestión de segundos. Crea una tienda online y comercializa tus productos o los productos de otros a comisión. Puedes vender productos digitales o físicos y vender tus productos alrededor del mundo. Las ventas online son un gran negocio ya que necesitan poca inversión, no necesitas empleados, ni el pago del alquiler de un local.

Emprender por internet es más fácil hoy en día y puedes crear diferentes fuentes de ingreso a través del e-commerce. Visita mi tienda en línea y conoce todos los productos y recursos creados para ti.

OTRAS IDEAS DE NEGOCIOS

Considera las siguientes ideas de actividades que podrían convertirse en tu trabajo extra y que también puede convertirse en un negocio propio que puedes hacer mientras mantienes tu trabajo actual:

Maneja Uber o Lyft
En los Estados Unidos, en Europa y en otros países de latinoamérica es algo sumamente práctico. Los emails que me llegan de la empresa Lift dicen que las personas pueden ganar hasta $35 dólares la hora en mi ciudad trabajando en el tiempo que tienen libre.

Dicta clases o tutorías
Si tienes un talento especial, puedes ganar dinero extra compartiendo tus conocimientos. Puedes dar tutorías o clases de algo que sepas. Vamos a decir que eres un experto en las matemáticas, inglés, español, música. Si sabes tocar piano, puedes hacer dinero extra enseñando a otros. Puedes hacerlo en tu tiempo libre y cobrar alrededor de $20 la hora.

Aprovecha tus talentos para abrir tu propio negocio
Solo tienes que ser creativo y tomar acción. Aprovecha todos los recursos que tengas a mano como tu computadora, tu nevera, tus talentos. Así puedes empezar con poca inversión. Puedes comenzar un negocio de venta o reparación de autos. Si te gusta cocinar o hacer postres, aprovecha tu talento y prepara comida o empieza tu negocio de tortas. Puede convertirse en un gran negocio para ti.

Organiza fiestas y eventos

En la diversión también hay dinero y la organización de eventos o de fiestas es una muy buena alternativa para emprender. Puedes planear fiestas para niños, bodas, cumpleaños, eventos corporativos. Puedes ofrecer animación, entretenimiento, decoración, renta sillas, mesas, juegos. La idea es ser creativo para hacer dinero extra y ofrecer varios servicios.

Arrienda una habitación en tu casa

Si tienes una habitación extra que no uses, puedes arrendarla a estudiantes o turistas por un periodo de tiempo. Puedes ganar un ingreso extra de alrededor de $500 a $600 dólares mensuales. Hay muchos turistas o estudiantes que buscan un arriendo que incluya alimentación y así puedes ganar más.

Vende articulos por internet

Hay muchas aplicaciones y sitios por internet donde puedes anunciar y vender cosas nuevas o usadas y que requiere poca inversión. Es como una tienda virtual donde puedes vender tus artículos. Lo único que tienes que hacer es publicar tus fotos y generar ventas. También puedes hacer una venta de garaje los fines de semana y vender los artículos que no uses. Puedes hacer hasta $1,000 al mes con ventas online.

Conviértete en un Asistente Virtual

Tengo una amiga que trabaja haciendo traducción del inglés al español desde la comodidad de su casa. Una cantidad creciente de empresas tienen necesidad de empleados para ayudar en tareas y trabajos a medida que se expanden y pueden contratar a alguien de manera presencial.

Los asistentes virtuales trabajan desde la comodidad del hogar y realizan una variedad de tareas, la mayoría son tareas administrativas, y se pagan por hora o por el proyecto.

Asistentes experimentados pueden ganar hasta $ 30 a $ 40 por hora, mientras que los nuevos o con menos experiencia suelen ganar un promedio de $ 7 a $ 10 por hora.

Si estás buscando un horario flexible y te gusta trabajar desde casa, este puede ser un trabajo ideal para ti.

Trabaja durante la época de vacaciones
Durante la temporada navideña, muchos negocios están buscando ayuda adicional con las ventas, el servicio al cliente y la caja registradora. Si trabajas por dos meses los fines de semana o en el tiempo libre, es probable que puedas ahorrar unos cuantos cientos de dólares extra para ayudarte a pagar una deuda o colocarlo en tu fondo de emergencia.

Recuerda que la idea es generar dinero extra para ahorrar, invertir o comenzar tu negocio. Siempre con un fin en mente. Y con este pensamiento quierto dejarte para que estes emocionado de comenzar la parte 3 de este entrenamiento, en el cual, ahora nos disponemos a hacer metas financieras para que podamos mantener una vida financiera saludable, al tiempo que dejamos dinero para un futuro exitoso y un legado para nuestros hijos. ¡Felicitaciones!.

MANERAS DE GENERAR INGRESOS EXTRAS

3 Gastos que voy a cortar de mi presupuesto	3 Cosas que voy a hacer para generar dinero extra rápidamente
1. _____	1. _____
2. _____	2. _____
3. _____	3. _____

18 maravillosas y únicas ideas de crear negocios online

1. Gestión de páginas sociales
2. Consultoría online
3. Coaching online
4. Vender E-books
5. Blogging
6. Vender cursos online
7. Vender fotos
8. Crear tu propia tienda online
9. Freelancing
10. Vender dominios
11. Vender templates, themes de blogs
12. Vender software online
13. Crear un sitio de membresía
14. Crear websites de nicho
15. Crear mercado de afiliados
16. Vender productos con drop-shipping
17. Vender servicios online
18. Vender páginas online

PARTE III

Secretos para construir fortuna y un futuro millonario

Día 14

Cómo jugar el "Juego del Millonario"

*"Aprendan a soñar aquellos que
aspiran a ser millonarios"
- Rodrigo Mauregui*

Una vez dijo el león: "Si yo fuera el rey del bosque". Esta es una expresión del musical "El Mago de Oz" en el que el león muy cómicamente muestra su cobardía momentos antes de entrar en una audiencia con el mago. Es un buen ejercicio el imaginar un escenario y preguntarse uno mismo que sucedería en ese contexto diferente a nuestra realidad percibida del momento presente.

Existe también una canción muy famosa titulada, "If I Were a Rich Man" que traducido sería "si yo fuese un hombre rico" es una canción popular del musical del año 1964 "Fiddler on the Roof" donde el actor principal se imagina lo que pasaría si él fuera un hombre de mucha riqueza. Quisiera que tomemos un momento y estudiemos juntos la letra de esta canción. Los primeros versos dicen así:

*"Querido Dios, hiciste muchos, muchos pobres.
Me doy cuenta, por supuesto, que no es una vergüenza
ser pobre.
¡Pero tampoco es un gran honor!
Entonces, ¿habría sido tan terrible si tuviera una
pequeña fortuna?
"Si yo fuera un hombre rico,
Durante todo el día yo, biddy biddy pasaría vagabundo.
Si yo fuera un hombre rico.
No tendría que trabajar duro.*

Si yo fuera un biddy biddy rico,
Sería un Hombre ocioso
Yo construiría una gran casa alta con habitaciones
por docenas,
Justo en el centro de la ciudad.
Un techo de estaño fino con suelos de madera abajo.
Habría una larga escalera subiendo,
Y una más larga aún hacia abajo,
Y una más que llevara a ninguna parte, sólo para mostrar.

Me gustaría llenar mi jardín con pollos y pavos y
gansos y patos
Para que la ciudad pueda ver y oír.
"Cuac cuac" ellos harían tanto ruido como pudieran.
Con cada ruidoso "pío" "swaqq" "hong" "charlatán"
Aterrizará como una trompeta en la oreja,
Como si dijera: "Aquí vive un hombre rico".
Si yo fuera un hombre rico,
Si yo fuera un hombre rico.
No tendría que trabajar duro."

Por supuesto, esta es una canción con un humor de sátira y tiene cuatro estrofas llenas de explicaciones y ejemplos de cómo el ser rico le cambiaría la vida al protagonista. Ya que has leído las dos primeras partes de este libro, notarás en la letra de la canción, todos los mitos y los prejuicios que Tevye, el personaje principal en el musical tiene sobre el dinero, al tiempo que refleja sus sueños de gloria.

A mí se me ocurre que nos caería bien jugar "el juego del millonario", y por qué no mejor aún soñar, anhelar y trabajar para ser rico.

Pregúntate: ¿Cómo serían las estrofas de "tu musical" si la primera frase fuese "Si yo fuera rico (a)? ...Recuerda que todo comienza con un sueño, que con perseverancia, esfuerzo, dedicación y disciplina se puede hacer realidad.

Juguemos juntos

Haz una lista de las cosas que quisieras hacer cuando seas millonario, sin limitarse. Anota todo lo que desees y quieras. Ve más allá de tus límites. Que lo que quieres refleje el mundo de tus valores.

Así como Tevye, haz la lista dividiéndola en categorías de las cosas que cambiarían cuando ya fueses rico.

1- Tus posesiones: Ya leíste la descripción de la casa que nuestro protagonista se compraría si fuese rico. Cómo te gustaría utilizar tu dinero en términos de adquirir medios materiales. Termina la frase.

"Si yo fuera rico (a) compraría: _____
_____ "

2- Tus relaciones: Cómo sería tu relación con tu cónyuge o personas más cercanas en tu familia. Lo cómico de Tevye es que dice: *"Mi Adorada mujer, parecería la esposa de un hombre rico, con una buena barbilla doble.... La veo pavoneándose como un pavo real"*. Ahora es tu turno:

"Si yo fuera rico (a) Mi familia: _____
_____

3- Tu vida social: Que actividades sociales te gustaría disfrutar si fueras ya rico, quienes serían tus amigos, la gente de tu círculo. Para Tevye, *"¡Los hombres más importantes de la ciudad vendrían a mi cervatillo! Me pedirían que les aconsejara"*. Ahora es tu turno:

"Si yo fuera rico (a) iría con frecuencia a: _____
_____ "

4- Tus actividades y viajes: Que actividad crees tú que te permitirías hacer si ya fueses millonario. Nuevamente, Tevye nos sorprende diciendo, *"Si yo fuera rico, tendría el tiempo que me falta, para sentarme en la sinagoga y orar"*. Aunque esto parece más una excusa que un deseo, utilicemoslo como inspiración para que respondas a la pregunta ¿Cuál es ese algo que te permitirías hacer si fueses rico? Ahora es tu turno:

"Si yo fuera rico (a) tendría tiempo para: _____

_____ "

5- Tus dificultades: Cuál dificultad que tienes hoy crees tú que se desvanecerá si hoy ya fueras rico. El muy cómico y sincero Tevye nos dice: *"Si yo fuera un hombre rico. No tendría que trabajar duro."* Ahora es tu turno:

"Si yo fuera rico (a) no tendría que: _____

_____ "

¿Cómo se siente para ti ser millonario?
Si percibes algún sentimiento negativo relacionado con ser millonario o vivir en riqueza, te aconsejo que repases la primera parte de este libro y trabajes en las áreas importantes que necesitan cambio así para tener una buena relación con el dinero.

A continuación, me gustaría que resumamos lo que ser una persona de mucha riqueza realmente implica.

Al final de nuestras vidas, el éxito no lo vamos a medir en cuantas grandes ideas tuvimos, pero por cuál de ellas nos levantamos a construir. Descubrir lo que realmente valoramos, nos ayuda a saber en qué áreas de nuestra vida trabajar y a que dedicar nuestro tiempo y esfuerzo para conseguir el retorno más satisfactorio para nuestra vida.

Recuerda que en la vida podemos tener más de una pasión y cada pasión tiene su razón de ser en la construcción de una vida satisfactoria. Si quieres construir un futuro financiero satisfactorio, entonces construye basado en tus valores. Ahora quiero que leas tus respuestas y te quedes con una lista total de 10 cosas que tu consideras son tu prioridad.

Este es el final de su canción: "Señor, ¿Estropearia algún vasto plan eterno Si yo fuera un hombre rico?".

 10 Cosas Que Quiero Hacer Cuando Sea Millonario...

Cuando sea millonario quiero hacer....

1.

2.

3.

4.

5.

6.

7.

8.

9.

10.

Día 15
Únete al equipo de los millonarios

"La verdadera fuente de riqueza y capital en esta nueva era que vivimos, no son las cosas materiales... es la mente humana, el espíritu humano, la imaginación humana y nuestra fe en el futuro".
- Steve Forbes

Veamos el ejemplo de María, amiga de mi familia y una empleada que lleva realizando el mismo trabajo de mesera por más de 16 años. Es un trabajo que no le gusta y en el cual tiene que trabajar sábados y domingos también. Se siente miserable, pero decide conformarse con el poco dinero que recibe y sacrificar el tiempo de su familia por el miedo al cambio. El conformismo no te permite brillar ni desarrollar el potencial que está dentro de ti.

Yo estoy consciente que nos enseñaron a trabajar duro, a convertirnos en empleados, a trabajar para ganar una jubilación y vivir de un salario toda la vida. Para Maria, pensar que está invitada a ser parte del equipo de los millonarios es un absurdo, Sin embargo, es cuestión de un cambio de mentalidad.

Según los millonarios, convertirse en uno es realmente cuestión de mentalidad, de pensamiento. Los millonarios expresan que, si uno decide convertirse en un millonario, sucederá tarde que temprano, en una economía buena o mala o en un mercado volátil o seguro. Según Robert Kiyosaki, un millonario altamente reconocido, uno debe ser siempre apasionado en lo que hace y mantener el entusiasmo.

A continuación te compartiré algunos de los pensamientos del millonario y como llegar a lograr ser uno de ellos.

LOS 11 SECRETOS DE UN MILLONARIO

1- Vive con Pasión

Estar ocupados en lo que nos gusta, adicionalmente a alejarnos del aburrimiento, nos impulsa al éxito. ¿Alguna vez has visto a un artista necesitar motivación para hacer su arte? Muy rara vez. Es por esto que "la pasión es el inicio del éxito" Dice Robert Kiyosaki

2- Muévete a la acción

El secreto del éxito de los millonarios, no es necesariamente que cada obra que realizan es un éxito, pero que se mantienen en movimiento. En mi profesión de consultora y coach de finanzas, me encuentro con un innumerable número de personas que se han tomado el tiempo de estudiar sobre cómo manejar y crecer su dinero, sobre un negocio que les gustaría iniciar, tienen mucha teoría, pero les ha hecho falta solo un elemento: el actuar. Necesitas entender que el "Esperar consume energía. Actuar crea energía." Dice Robert Kiyosaki

3- Entra en el juego

Muchas veces esperamos el momento perfecto para tomar acción y este momento perfecto no llega y cuando vemos a otros tomar pasos en situaciones no "perfectas" ¡no sabemos qué hacer! Mientras nosotros nos animamos a unirnos al grupo de los que accionan, también podemos ver otro grupo que decide por la crítica. No te dejes intimidar. Recuerda las palabras de Robert Kiyosaki "Es más fácil mantenerse al margen, criticar y decir por qué no deberías hacer algo. Las líneas laterales están abarrotadas. Entra en el juego. "- Robert Kiyosaki

4- Juega a ganar

Si trabajas en lo que te apasiona, no te paralizas por la necesidad de perfección o la multitud de críticas y te mueves a la acción, dile a todo tu ser que entraste al juego a ganar. Es por esto que las palabras sabias de Robert Kiyosaki son esenciales: "Encuentra el juego en el que puedas ganar y compromete tu vida en jugarlo, juega a ganar"

5- Se Inteligente

La inteligencia es la capacidad de adquirir y aplicar conocimientos y habilidades. Ser inteligente significa saber usar el conocimiento y la capacidad que tienes a tu beneficio. Ser inteligente no significa que no tienes nada que aprender, escucha las palabras de Robert Kiyosaki, "En la vida real, la gente más inteligente es la que comete errores y aprende de ellos. En el colegio, la gente más inteligente es la que no comete errores". Así que te animo a que seas inteligente.

6- Piensa Diferente

No sigas a los demás, busca tu propio camino. Tienes talentos únicos y se te presentarán oportunidades únicas. No tengas miedo de pensar diferente que los que te rodean. Esto es primordial cuando estás enfrentando desafíos de cualquier índole que requieren una solución creativa. Como dice Robert Kiyosaki, "El miedo a ser diferente hace que mucha gente no busque nuevas vías para resolver sus problemas"

7- Transforma tu mentalidad

He aprendido que la actitud positiva logra milagros en la mente y juega un papel importante en la transformación financiera. Sé que suena sencillo, pero tú puedes lograr el éxito a través de una actitud mental positiva.

Antes de que puedas transformar tu billetera de Pobre a Rico, Tienes que transformar tu ESPÍRITU de POBRE a RICO" Robert Kiyosaki

8- Enfócate en el beneficio

Todo lo que vale la pena construir requiere trabajo. Todo lo que requiere trabajo traerá incomodidad y cansancio. Igual es al emprender, necesitas mantenerte trabajando hasta ver tu sueño, como dice Robert Kiyosaki, "todo el mundo puede decirte los riesgos. Un emprendedor puede ver la recompensa"

9- Crea un plan

Si quieres construir algo vas a necesitar sentarte y medir los gastos, entender qué ayuda vas a requerir y hacer una lista de pasos para llegar a la meta. No puedes entrar al juego de la libertad financiera sin un plan. Como dice Robert Kiyosaki, "Un plan es un puente hacia tus sueños. Tu trabajo es hacer el plan o el puente real, de forma que tus sueños se hagan realidad. Si todo lo que haces es quedarte en la silla soñando con el "otro lado", tus sueños serán solo sueños para siempre."

10- Invierte en tu Propia Marca

Para ser millonario, necesitas aprender a invertir. Tu mejor inversión es crear tu propio negocio. La mejor manera de utilizar el dinero es invertirlo en algo propio que tu creas. Como nos dice Robert Kiyosaki: "Habitualmente, cuanto más dinero ganas, más dinero gastas. Es por esto que más dinero no te hará rico. Son los activos los que te harán rico.

11- Sal de tu propio camino

No permitas el auto-sabotaje que llega con las excusas del porque no podrás lograr tus sueños. Lo peor que puedes hacer es el convencerte a ti mismo de las razones y el por qué no podrás lograr tu sueño financiero de ser millonario. Como dice Robert Kiyosaki, "Muchas veces te darás cuenta de que no son mamá o papá, tu marido o tu mujer, o los niños los que te están frenando. Eres tú. Sal de tu propio camino."

Recuerda, ¡convertirse en un millonario está en tu mente! Si tienes la actitud correcta, si lo sientes, y realmente lo crees, ya eres un millonario. ¡Ten mentalidad de millonario y el dinero te llegará!

CARTA A MI FUTURO YO MILLONARIO...

Querido FUTURO YO:

Nunca olvides lo que has aprendido en este camino:

Nosotros los millonarios soñamos en GRANDE – Desarrollamos metas que nos mantienen motivados y las convertimos en planes de acción porque un objetivo sin un plan es solo un sueño.

Nosotros los millonarios somos dueños de nuestro propio negocio - El apalancamiento y las ventajas fiscales son dos principios esenciales para lograr un patrimonio neto de un millón de dólares, y poseer su propio negocio tiene ambos. Trabajar un trabajo 9-5 no tiene ninguno. La mayoría de los millonarios se convirtieron en esa forma a través del emprendimiento empresarial. El segundo camino más común es el de bienes raíces - de nuevo, porque incluye el apalancamiento y las ventajas fiscales.

Nosotros los millonarios APRENDEMOS de los errores – recuerda que hemos hecho una tonelada de errores antes de llegar a ser ricos. La riqueza de la noche a la mañana es una fantasía porque la fortuna se construye sobre años de edificación sobretodo la fundación de nuestra vida antes de golpearla grande. Escalar el muro del éxito nunca es fácil. Cada uno tiene su parte de altibajos. La diferencia es que los millonarios asumen riesgos y no tienen miedo de fracasar. En cambio, aprenden de sus errores y nunca se dan por vencidos en la búsqueda de sus sueños.

Nosotros los millonarios poseemos PERSISTENCIA - La característica más común para ahorrar un millón de dólares en valor neto es la persistencia. Si usted consigue la meta a través de negocios o ahorra su manera a millón de dólares siendo frugal con su gasto y trabajando un trabajo regular, la característica dominante que hará o quebrará su éxito es persistencia.

Nosotros los Millonarios continuamente nos educamos porque la sabiduría es lo que nos hace libres. Nosotros los millonarios estamos siempre APRENDIENDO cómo hacer que nuestro dinero trabaje para nosotros.

Nosotros los millonarios somos estudiantes de la vida, porque es así como encontramos las oportunidades que otros echan de menos.

Nosotros los millonarios hemos decidido que el mejor de los caminos para el CRECIMIENTO personal, es el crecimiento financiero.

Y con todo esto estoy comprometido.

Firma_____

Fecha_____

Día 16

Construye una cuenta de ahorros masiva

"Busca la manera que el dinero trabaje para ti.
El dinero no duerme, no se cansa y
no se va de vacaciones."
- Alexandra Ramírez

Estudié finanzas y administración de empresas siguiendo mi pasión por los números, el dinero y el emprendimiento. Aprendí los principios fundamentales para aprender a manejar el dinero sabiamente y cómo lograr la libertad financiera a través de un buen manejo del dinero y viviendo inteligentemente, cambié mi mentalidad y superé mis miedos. Seguí un plan financiero como el que te enseño en este libro y finalmente me encontré libre para construir una cuenta masiva de ahorros.

Hoy en día yo empodero a miles de mujeres y hombres a alcanzar el éxito financiero, personal y profesional por medio de mis enseñanzas, talleres, cursos, segmentos televisivos, radiales, y otros medios digitales.

Logré convertirme en una gran empresaria, programando mi mente hacia el éxito y hacia la riqueza.

Todos tenemos un pasado y crecimos con una familia la cual aportó ciertas conductas y creencias a nuestro interior. Las creencias limitantes también pueden afectar tu capacidad emprendedora. Si creciste en un ambiente de carencia, desarrollaste pensamientos de escasez y necesidad. Estas creencias actúan como profecías auto-cumplidas y son barreras que te impiden actuar y recibir el flujo de dinero en tu vida.

Este libro te ayudará para que ese cambio también ocurra en ti y creo firmemente que estás preparado para ir al próximo nivel en la construcción de tu riqueza.

Deja de tirar el dinero por la ventana

El error más común de las personas para resolver sus problemas económicos es creer que solo tienen que aumentar sus ingresos. Para empezar, averigua porque gastas más o porque tienes problemas económicos. Si no lo averiguas, se te irá de las manos todo lo que ganes extra. Si dejas de tirarlo por la ventana, aumentará con rapidez, y comenzará a trabajar para ti. Como ya sabes, el exceso de gastos es expresión de carencias afectivas o emocionales.

En nuestra cultura, los medios de comunicación nos condicionan que, si necesitamos algo, solo lo compramos. Ese sentimiento de bienestar inmediato, es solo una ilusión. El hecho de comprar solo por comprar, responde a necesidades emocionales. Lo mejor que puedes hacer es buscar la necesidad emocional o carencia que buscas llenar y luego resolverla. No hay dinero en el mundo que alcance para cubrir necesidades afectivas. No puedes evitarlas, si tienes una necesidad de sentirse amado, las compras excesivas son síntoma de esa necesidad emocional. Nada será suficiente. No botes el dinero por la ventana solo para satisfacer tus emociones.

Comienza tu independencia económica

El Concepto de la independencia económica, el cual es tener dinero suficiente o fuentes de ingreso para no tener que vivir para trabajar tiene una clave básica. La clave es empezar a ahorrar de forma masiva. Lo aconsejable es el 20% de tus ingresos y hacerlo utilizando una transferencia automática o a un fondo de inversión. Si esto aún no es posible para ti, recuerda que tu independencia económica si es un objetivo válido.

Así que puedes decidir por reducir tus gastos 20% o aumentar tus ingresos el mismo 20%. De tal manera que ahorres el 20% y hacer los ajustes para que puedas vivir con el 80% restante. El secreto está en ahorrar por largo tiempo.

Los beneficios te deben dar la motivación para hacerlo: seguridad, libertad y confianza. Si no puedes en estos momentos ahorrar el 20% de tus ingresos, entonces comienza con el 10% y luego 20%.

Haz que el dinero trabaje para ti
Hacer que el dinero trabaje para ti significa tomar control de tu dinero, crear capital e invertir, de tal manera que puedas crear independecia económica.

Una de las instituciones sociales más importantes es el dinero. Si tenemos dinero, tenemos liquidez y podemos enfrentarnos al futuro con más garantías. Tendremos un abanico de oportunidades a nuestro alcance y reducimos la incertidumbre. De ahí su importancia, el dinero afecta nuestra calidad de vida, nuestra salud y nuestra psicología.

¿CÓMO AHORRAR?

Es importante que por cada dólar que hagas, apartes una cantidad y la separes para tu columna de activos e inversiones, porque si no separas nada para tu futuro, terminarás sin nada. "Por cada diez monedas que tengas en el bolsillo no deberías utilizar más de nueve. ¡y si ganas diez, no gastes diez!. Cuando empieces a sacar de tu bolsillo solo nueve monedas, en vez de las diez, tu fortuna empezará a engordar. Eso ya lo tenemos bien claro.

Ahora, si quieres multiplicar tu dinero, deberás ahorrar parte de tus ingresos.

El porcentaje adecuado es de por lo menos el 10%, aunque para algunos es algo complicado, fijarse un máximo de gastos te ayudará a aprender a vivir con menos. Como norma general, se recomienda ahorrar entre un 10% y un 20% de nuestros ingresos netos.

Únete al reto del ahorro

Mujer, ¿Quieres ahorrar más dinero? Únete a nuestro grupo de mujeres que toman el reto de construir fortaleza financiera. Regístrate para 7 días de actividades de ahorro para ayudarte a ahorrar $500 en esta semana. Te enviaremos los mejores consejos de ahorro, trucos y estrategias para ayudarte a construir tu libertad y estar financieramente en forma.

Es un programa GRATUITO que te llega por correo electrónico por 7 días para ayudarte a aumentar tus ahorros y seguir ahorrando. Sólo inscríbete en: www. FinanciallyFitLatina.com y conviértete en una mujer fit con sus finanzas.

Qué hay dentro del reto

- Retos diarios entregados directamente a tu correo electrónico.
- Consejos sobre las mejores características de una cuenta de ahorros.
- Asesoramiento de Alexandra Ramírez y la comunidad de #FinanciallyFitLatina sobre cómo hacer y seguir las metas de ahorro.
- Trucos fáciles para ayudarte a gastar menos y evitar los errores principales y comunes para que te alejes de ellos.

Si eres hombre, una vez mas, sigue con tu plan financiero y las tareas que encuentras en cada capitulo de este libro. Aquí te comparto algunas maneras en las que puedes construir tu cuenta de ahorros masiva.

Como llegar a ser millonario

No. 1: Establece un objetivo de ahorro

Comienza estableciendo una meta de ahorro con una cantidad específica. Debe ser medible, realizable, realista y oportuna. Puedes sentirte ambicioso y establecer un objetivo súper-alto de ahorro, pero también hacer esto te prepara para el fracaso.

Al decidir sobre un objetivo de ahorro, piensa en una compra específica o un punto de referencia que podrías alcanzar de manera realista en 12 meses. Por ejemplo, el objetivo debe requerir autodisciplina y un poco de sacrificio cuando se trata de gastar (es un objetivo después de todo), pero no debes excederte.

A continuación, busca un amigo o un miembro de la familia que pueda responsabilizarse contigo, o escribe la meta en un lugar donde la verás todos los días, como en tu computador o tu agenda o planificador.

No. 2: Elije una cuenta de ahorros cuidadosamente

Sé exigente en cuanto a dónde vas a mantener tus ahorros. Las cuentas de ahorros varían ampliamente cuando se trata de intereses, honorarios y saldos mínimos, por lo que tu investigación te ayudará a encontrar el que es perfecto para ti. Considera los cargos adicionales como el servicio mensual y los cajeros automáticos.

Mientras que la tasa de interés podría sonar mínima al principio, esta suma con el tiempo. Y cada pequeña cantidad cuenta cuando estás ahorrando hacia una meta específica. Echa un vistazo a los bancos en línea también. Cuentas de ahorros en línea a veces tienen tasas de interés más altas, es decir, ganas más.

Compara las cuentas de ahorros para encontrar la más adecuada para ti. La cuenta de ahorros que escojas, asegúrate que incluya estas características:

- Sin cuotas mensuales ni gastos de mantenimiento
- Ningún requerimiento de saldo mínimo
- Una tarjeta de cajero automático gratuita
- Uso sin recargos de más de cajeros automáticos (si es posible en todo el mundo a través de una red ATM)
- Acceso a aplicaciones en línea y móviles
- Si vives en los estados Unidos, asegúrate que tus ahorros están asegurados federalmente por lo menos $ 250,000 y respaldados por el Gobierno de los Estados Unidos.
- Si vives en otro país, asegúrate también de que tus ahorros estén asegurados por las leyes de tu país.

Yo aconsejo investigar la posibilidad de utilizar una cuenta de cooperativa de ahorro y credito (Credit Union) en lugar de un banco regular para la cuenta de ahorros que utilizas con una meta de compra. Por ejemplo, si estás ahorrando para la cuota inicial de una casa o un carro, mantener tu dinero en la cuenta de cooperativa es una buena idea ya que puedes contar con ellos para obtener el préstamo a una mejor tasa de interés.

No. 3: Hacer el ahorro automático

Es posible que no tengas la autodisciplina para dejar de lado una parte de tu cheque de pago cada mes para ahorrar. Por lo tanto, una vez más te digo, haz tus contribuciones automáticas. Los bancos suelen ofrecer servicios gratuitos que transfieren una cantidad fija de dinero de tu cheque a tu cuenta de ahorros cada mes. Pregunta a tu departamento de recursos humanos si puedes depositar directamente un porcentaje de tu cheque de pago cada mes, en una cuenta de ahorros.

4- Resiste la tentación de Impresionar a Otros

A veces nos dejamos llevar por lo que otros piensan y nos dejamos influenciar por eso.

Deja de preocuparte por lo que los demás piensan. Siempre tendrán algo que decir de todas maneras. Vive tu vida como mejor te parezca y no dejes que otros influencien en tus decisiones. Separa la gente que te rodea en dos grupos: la gente a la que realmente le interesas, como tu familia, y los que quieren saber de ti solo para hablar o comentar. Solía ser muy criticada por personas muy cercanas a mí por la manera que manejaba mi dinero. Que si era muy ahorrativa o que si era muy metódica en cuanto al dinero. Y aunque al principio me molestaba un poco, no me deje llevar por sus pensamientos ni opiniones.

Son esas mismas personas las que hoy en día no han logrado nada importante en la vida y que todo el dinero que han conseguido, lo han malgastado sin lograr ningún objetivo personal ni financiero. Ni siquiera han logrado adquirir una vivienda o un carro decente. Para muchas de esas personas soy en día un ejemplo de superación y admiración, gracias a mi esfuerzo y dedicación. Tu felicidad no depende de lo que tienes, si no de lo que haces con lo que tienes.

5- No te endeudes por los demás.
No necesitas impresionar a otros comprando objetos caros o lujosos. No necesitas invertir tiempo ni dinero para quedar bien con los demás. Piensa en tu futuro económico y personal y en lo que tengas que hacer para lograrlo. Muchos terminan endeudándose comprando un carro lujoso que no pueden pagar o perdiendo "la casa de sus sueños" solo por aparentar ante los demás. Ten carácter y autoridad para tomar tus propias decisiones. Toma en cuenta sólo las decisiones que realmente son importantes para ti, como la de tu pareja o familia. No compres el celular más caro solo porque una persona cercana a ti lo tiene. No te sientas mal si no lo puedes tener. Vive de acuerdo a tus límites y no te dejes llevar por el que dirán.

6- Comparte pensamientos de crecimiento personal. En vez de hablar de moda y cosas lujosas, emplea tu tiempo en hablar de crecimiento personal y en cosas que estimulen tu progreso. Si te reúnes con tus amigos para hablar de quien tiene más, querrás tener o conseguir lo mismo que ellos. Comparte tus sueños y aspiraciones y motiva a otros que compartan los suyos también. Emplea tu tiempo en cosas de valor agregando también valor a los demás. Rodéate de personas que aporten a tu vida cosas positivas. Que te elogien por lo que eres y no por lo que tienes. Haz que cuando piensen en ti, piensen en progreso y te vean con admiración.

En lo personal, trato de no impresionar a otros, pero sigo estos pasos para asegurarme de mantenerme en mi meta financiera:

- Empleando mi tiempo en cosas de valor
- Tomando mis propias decisiones
- Actuando con carácter y autonomía
- Definiendo cuidadosamente mis amistades

7- Adquiere conocimiento y aumenta tu capacidad de ganar. Me he caracterizado siempre por ser una persona estudiosa y enfocada en todas las metas que me propongo. Soy de las que pienso que como seres humanos debemos estar en la constante búsqueda de mejorar en todos los aspectos de nuestras vidas. No solamente progresar económicamente, pero también en lo personal. Amplia tu conocimiento.

No se puede vivir sin una aspiración o sin un sueño. Debemos fijarnos metas y trabajar para lograrlas. Nuestro mundo actual se mueve hacia una constante dirección en que las cosas cambian, la tecnología aumenta y donde la creatividad es recompensada.

Aprende algo nuevo y hazlo visible al producir nuevas ideas y llenar tu vida de experiencias que puedan ser valiosas para tu desarrolo personal. Mejora tus cualidades. Identifica cuáles son tus talentos e invierte tu tiempo y tus talentos para alcanzar el éxito personal y financiero. La gente exitosa invierte su tiempo de alguna manera para mejorar su vida, sus relaciones o su carrera profesional.

La formación educativa que obtengas es clave para garantizar tu desarrollo personal e intelectual, manteniéndote actualizado y brindándote nuevas oportunidades laborales. Aprovecha tu tiempo libre y no lo desperdicies. Cumple con tus metas y logra éxito en tu vida.

Lo que hago para aumentar mi capacidad de ganar y ser exitosa se puede resumir así:

• Me capacito continuamente.
• Me mantengo actualizada para ascender profesionalmente.
• Defino mis metas profesionales, personales y financieras.
• Me supero continuamente.
• Decido vivir en abundancia y trabajo para conseguirlo.

Decide Hacer Realidad Tus Sueños

La pasión para construir algo nuevo es lo que ha caracterizado siempre la vida de las personas exitosas y lo que los ha llevado a construir grandes cantidades de ahorros y dinero. Dentro de tus sueños, está la clave no solo de tu desarrollo personal, pero de adquirir tu libertad financiera. Puede que tengas miles de ideas dando vueltas en tu cabeza.

A lo mejor quieres empezar un negocio nuevo o empezar una carrera, pero no sabes por dónde empezar o te da miedo fracasar. Es decir, tú eres tu más grande obstáculo.

Cuando empecé a escribir este libro, tardé un tiempo considerable en terminarlo y en ver que se hiciera realidad. Meses antes de trabajar con esta maravillosa editorial, recibí el rechazo de publicación de mi libro de parte de otra casa editorial, los cuales me dijeron que este no era un tema que ellos estaban buscando. Esto me desilusionó muchísimo y casi me hace desistir de mi tan anhelado sueño.

Pero a pesar de todo decidí seguir adelante y no abandonar el sueño de ver mi libro publicado. Comprendí que las cosas a veces pasan por una razón y que no se dan de la manera que uno quiere. Comprendí que el tiempo de Dios es perfecto y que a veces es bueno esperar y dejar que las cosas lleguen en el momento justo. Persití y nunca desistí.

¡Y hoy soy toda una autora publicada! Autora de un libro de éxito, un libro que impacta la vida de millones de personas alrededor del mundo, autora de un tema importante y tan necesario para el éxito financiero de todos, y un libro que produce grandes cantidades de dinero en ventas y que me ayuda a seguir construyendo mi cuenta de ahorros masiva. La sensación de verlo publicado y venderse alrededor del mundo es una de las más bellas. No dejes que nadie te robe tu sueño. Ni de una casa editorial que nunca creyó en ti.

 Puede que tengas miles de ideas dando vueltas en tu cabeza. A lo mejor quieres empezar un negocio nuevo o empezar una carrera, pero no sabes por dónde empezar o te da miedo fracasar. Es decir, tú eres tu más grande obstáculo.

La primera barrera es dar el primer paso. Pon tus ideas en manos de Dios, y Él te enviara las personas y las herramientas correctas para lograrlo. "Cualquier cosa que la mente pueda concebir, se puede lograr". –Napoleón Hill.

Comienza ahora. Hoy es el día para comenzar. No lo dejes para mañana. Si no das tu primer paso hoy, en un año desde hoy te dirás a ti mismo: "Hubiera deseado haber comenzado un día como hoy". Tienes los talentos y la capacidad para hacerlo. En el camino encontrarás todos los recursos que necesitas.

Lo que hago para hacer realidad mis sueños
- Pido y doy gracias a Dios por mis anhelos
- Siempre preparo un plan y organizo mis ideas
- Trabajo todos los días para lograrlo
- Mantengo el enfoque y la motivación
- Establezco metas

Habla con tu pareja sobre las metas financieras
Para muchas parejas, hablar de dinero tiende a traer problemas en el matrimonio. Aunque sea difícil, la comunicación es vital tanto para el matrimonio como para construir una cuenta de ahorros masiva. ¿Sabes si tú y tu pareja comparten los mismos sueños? ¿Si hay deudas escondidas? ¿Recibió un aumento y tú no lo sabes? Los malos hábitos económicos o gastos compulsivos de uno pueden estar afectando negativamente al otro sin darse cuenta y tal vez impida que puedas ahorrar. Si uno de los dos gasta de manera irresponsable, va a poner en riesgo la confianza del otro y va a desencadenar un problema con su pareja.

Si eres muy hábil con el dinero y eres quien maneja las finanzas del hogar, puede ser que estés sintiendo una carga muy fuerte y no se lo hayas comentado a tu esposo o a tu esposa.

Manejar las finanzas, la casa, los niños, el trabajo,... en fin, tienes mucha responsabilidad bajos tus hombros y estás constantemente preocupado por manejar las finanzas del hogar de una manera correcta. Para el cónyuge que es más organizado, no es fácil llevar toda la carga, y para el otro, no es fácil sentirse controlado.

Por la salud y el bienestar de tu familia y tu matrimonio, ten una conversación con tu pareja y decidan juntos si deben dividir los gastos del hogar en partes iguales o continuar con una cuenta en común.

Lo que hablo con mi pareja referente al dinero:

- Nuestros objetivos financieros
- La división de cuentas y responsabilidades
- Nuestro presupuesto familiar
- Nuestra situación financiera
- Mi compromiso financiero para con mi pareja.

A continuación encontrarás la tabla del Mega Reto del Ahorro de 52 semanas, que te ayudará a ahorrar dinero todas la s semanas empezando con un dólar.

Este efectivo y comprobado sistema te ayudará a adquirir el hábito del ahorro y a construir tu cuenta de ahorros masiva. Ajústala a la mayor cantidad de dinero posible y verás tus ahorros crecer extraordinariamente.

Mega PLAN de AHORROS

| MES / AÑO |
| NOMBRE_____ |
| FECHA_____ |

ESTOY AHORRANDO $1 SEMANAL PARA _____

SEMANA	AHORRO	BALANCE	✔		SEMANA	AHORRO	TOTAL	✔
1	$1.00	$1.00			27	$27.00	$378.00	
2	$2.00	$3.00			28	$28.00	$406.00	
3	$3.00	$6.00			29	$29.00	$435.00	
4	$4.00	$10.00			30	$30.00	$465.00	
5	$5.00	$15.00			31	$31.00	$496.00	
6	$6.00	$21.00			32	$32.00	$528.00	
7	$7.00	$28.00			33	$33.00	$561.00	
8	$8.00	$36.00			34	$34.00	$595.00	
9	$9.00	$45.00			35	$35.00	$630.00	
10	$10.00	$55.00			36	$36.00	$666.00	
11	$11.00	$66.00			37	$37.00	$703.00	
12	$12.00	$78.00			38	$38.00	$741.00	
13	$13.00	$91.00			39	$39.00	$780.00	
14	$14.00	$105.00			40	$40.00	$820.00	
15	$15.00	$120.00			41	$41.00	$861.00	
16	$16.00	$136.00			42	$42.00	$903.00	
17	$17.00	$153.00			43	$43.00	$946.00	
18	$18.00	$171.00			44	$44.00	$990.00	
19	$19.00	$190.00			45	$45.00	$1,035.00	
20	$20.00	$210.00			46	$46.00	$1081.00	
21	$21.00	$234.00			47	$47.00	$1128.00	
22	$22.00	$253.00			48	$48.00	$1176.00	
23	$23.00	$276.00			49	$49.00	$1225.00	
24	$24.00	$300.00			50	$50.00	$1275.00	
25	$25.00	$325.00			51	$51.00	$1326.00	
26	$26.00	$351.00			52	$52.00	$1378.00	

Día 17

Juega a la independencia financiera

"Cuando llegue la prosperidad, no te la gastes toda"
- Confucio

D urante mi carrera profesional, logré convertirme en una profesional exitosa y una de las empleadas más productivas de las organizaciones en las que he trabajado. El trabajar por más de 15 años como empleada gubernamental de los Estados Unidos, me ha permitido ahorrar en varios fondos de retiro, portafolios de inversión, y estar semi-retirada a los 40.

Soy testimonio claro de todo lo que te enseño en este libro. Mi disciplina financiera me ha llevado a vivir sin deudas, con la casa donde vivo casi paga y con propiedades de inversión en Colombia y en los Estados Unidos. La única deuda que tengo es la de mi deuda estudiantil, deuda que adquirí para poder graduarme rápidamente y continuar adelante con mis sueños. Hoy en día trabajo en conjunto con diversas organizaciones para dar asistencia a jóvenes con la deuda estudiantil, crear conciencia financiera entre ellos y buscar alivio a su creciente aumento en los Estados Unidos. El 70% de los estudiantes estadounidenses se gradúan con préstamos estudiantiles con una cantidad promedio y creciente de $37,000 dólares por estudiante.

Hoy yo logro generar ganancias de diversas fuentes de ingreso, lo cual recomiendo para no depender de una sola fuente. Soy empresaria, dueña de varios negocios digitales, tengo mi negocio de consultoría financiera y de impuestos a negocios, creadora de productos digitales, autora de libros, y conferencista internacional.

También orgullosa de lograr que mi hijo Christian de 22 años (ya en menos de 6 meses todo un ingeniero de sistemas) se gradúe sin deuda estudiantil. No uso tarjetas de crédito. Solo las uso para viajar, reclamar puntos de viajero y obtener otros beneficios como usuario. Al regreso de mi viaje, cancelo la deuda en su totalidad y ¡guardo la tarjeta para un próximo viaje!

Como empresaria, sigo trabajando y construyendo mi imperio y riqueza financiera. Me encanta ahorrar y tener dinero disponible para nuevos negocios, inversiones y como fondo de emergencia. Siempre busco la manera de ahorrar en todo lo que compro y obtener la mejor opción por mi dinero, sin sacrificar la calidad.

Así que, te puedo dar testimonio que, una vez creado una reserva de dinero de emergencia, digamos de 6 meses y te hayas acostumbrado a ahorrar 20% de tus ingresos, puedes comenzar a jugar y a vivir a la independencia económica. Yo digo jugar para que experimentes en tu mente la maravillosa sensación de ser libre financieramente, y después trabajes para lograrlo.

La libertad o independencia financiera significa que tienes suficiente dinero o entradas de dinero de diferentes fuentes, creando ingresos pasivos y generando mayor independencia y libertad. Vamos a jugar el juego de la independencia financiera, sintiéndote ya libre financieramente y viéndote como todo un emprendedor.

Estas son las reglas de este juego de la independencia financiera:
En primer lugar, debes darte cuenta de que cualquier persona puede jugar este juego de independencia financiera. ¡O sea esa persona puedes ser tú!.

En segundo lugar, decidir cuánto dinero realmente necesitas para ser financieramente independiente. La mayoría de las personas tienden a sobrestimar y pensar en términos de millones de dólares. Sin embargo, si ya estás ahorrando el 20% de tu dinero, es probable que hayas aprendido a vivir sencillamente y que sabes cómo simplificar de acuerdo a tus valores. De esta manera, tú podrías vivir cómodamente en cualquier momento con el interés de por ejemplo $250,000. Así es, con tu ahorro de 20% de lo que ganas hoy puedes llegar al momento en que no tienes que trabajar para otro y vivir de la renta o los intereses.

Decide la cantidad de dinero que puedes ahorrar en este momento y cuántos años te mantendrás persistente en tu ahorro:

Por ejemplo, si ahorras $2,000 mensuales por 15 años y decides jubilarte a los 50 años puedes vivir de $30,000 anuales de intereses sobre el capital que has ahorrado. Cuando haces tu plan de independencia económica, atraes mejores oportunidades.

El paso más importante es claro, tener un plan financiero escrito, que lo puedas editar periódicamente. Porque ese plan dictará lo que debes hacer para tener éxito por completo de tu vida. El plan financiero es tu ruta. En él tendrás tus metas de ahorro y tus necesidades relacionadas con tu independencia financiera. Beneficio: Cumplir sueños, ampliar la frontera del pensamiento. Solo tienes que ser constante y ahorrar diariamente. La palabra es constancia.

Decide la cantidad de dinero que puedes ahorrar en este momento y cuántos años te mantendrás persistente en tu ahorro.

Para esta meta financiera, te aconsejo que abras otra cuenta de ahorro y comiences el juego de la independencia económica. Reducir gastos es la manera más rápida de tener capital. Más fácil que generar más ingresos. Como ya te hemos mostrado antes, reducir gastos no es sufrir, más bien mejora tu calidad de vida.

Cuando realizas una acción hacia tu objetivo con un programa de independencia económica, reducirás tu estrés y ansiedad causado por el dinero. No tendrás miedo de envejecer y depender de la familia. Tendrás calma y seguridad ante las crisis financieras globales.

Mucha gente se desvía de su plan de independencia financiera, concentrándose en los ahorros universitarios de sus hijos, y no lo suficiente en la jubilación o un fondo de emergencia para ellos mismos, sin embargo, nuestros hijos pueden pedir prestado para la universidad si es necesario, y también existen becas de educación, pero nadie puede pedir prestado ni pedir una beca para la jubilación.

La planificación financiera analiza el panorama general. Eso incluye cosas como encontrar dinero para ahorrar; Crear y seguir un presupuesto; Proteger a las personas que te importan; Mirar a tus ahorros y opciones de inversión para ayudarte a guardar el dinero no sólo para la jubilación, sino para otras metas "divertidas" que podrías tener, como viajar, comprar una propiedad (o casa pequeña) - lo que quieras hacer.

 Mucha gente comete el error de desviarse de su plan de independencia financiera, concentrándose en los ahorros universitarios de sus hijos, y no lo suficiente en la jubilación o un fondo de emergencia para ellos mismos.

COMO SER MILLONARIO A LOS 65 AÑOS
SIN MORIR EN EL INTENTO

Aunque la idea no es que tengas que esperar hasta los 65 para ser millonario, este es un buen ejemplo de cómo puedes invertir y multiplicar tu dinero para así jubilarte como millonario. Vamos a tomar el siguiente ejemplo. Si quieres llegar a los 65 años y jubilarte con 1 millón de dólares (y no de dolores), deberás ahorrar constantemente por un periodo promedio de 30 años, asumiendo un rango de edad de 20 a los 50.

• El primer secreto es ahorrar 3 dólares diarios para reunir $1,092 dólares cada año.

• El segundo secreto invertir esos $1,092 en una cuenta de inversión que produzca una tasa promedio del 12% Al llegar a los 65 años, tendrás 1 millón de dólares en tu cuenta esperando por ti.

El ahorro de las 3 alcancías

Permíteme explicarte el ahorro de las 3 alcancías, según Kim Kiyosaki (esposa de Robert Kiyosaki). Esta es otra manera efectiva de ahorrar y lograr tu independencia financiera es utilizar el plan financiero de los Kiyosaki, millonarios e inversionistas, sigámoslo al pie de la letra:

Por cada dólar que entre en tu bolsillo, separa el 30% del total. Es decir, que por cada $100 dólares que ganes, 30 dólares serán separados. Si ganas $1 dólar, guardas 30 centavos. Luego, dividir ese 30% en 3 diferentes cuentas que entrarán en 3 alcancías de esta manera:

• Primero, la alcancía de la cuenta de ahorros (10%): este es un colchón de dinero para emergencias o imprevistos financieros.

179

- Segundo, la alcancía de la cuenta de inversiones (10%): este dinero será usado como fondo para alguna oportunidad de inversión.

- Tercero, la alcancía de la cuenta de donaciones (10%): para los Kiyosaki, el dar y compartir es una puerta para la abundancia y para demostrar gratitud.

Los Ricos invierten y no solo ahorran
La manera más rápida de llegar a un millón de dólares no es sumarle a tus ahorros la misma cantidad todos los meses o los años, pero doblar el dinero que tienes, una y otra vez hasta lograrlo. Tenemos que decidir cuánto de lo que ya hemos ganado estamos dispuestos en colocar para invertir y arriesgar para duplicar nuestro dinero con una posible inversión importante.

¿Recuerdas el programa de televisión: "Quién quiere ser millonario"? Era un juego de preguntas y la manera en que la personas podía llegar a un millón de dólares. Esto era porque cada vez que el concursante contestaba bien la pregunta, ganaba una cantidad de dinero y tenía la posibilidad de doblarla si arriesgaba lo ganado respondiendo la próxima pregunta.
Al igual que en este juego millonario, tienes que decidir cuánto de lo que ya has ganado estas dispuesto en colocar para invertir y arriesgar para duplicar tu dinero con una posible inversión importante.
Te invito a que juegues el juego del millonario y te arriesgues a ganar.

¡Buena suerte!

TABLA DEL "JUEGO DE LOS MILLONARIOS"

Completa el siguiente plan....

Te invito a que juegues el juego del millonario y te arriesgues a ganar. ¡Buena suerte!

Día 18

Empieza tu negocio manteniendo tu trabajo actual

"La libertad financiera está disponible para aquellos que aprenden cómo alcanzarla y trabajan para lograrlo"
- Robert Kiyosaki

El comienzo de mi libertad financiera comenzó con un blog. Hoy estoy orgullosa de decir que mi blog es todo un negocio y que ha crecido de manera extraordinaria.

A través de mi exitoso blog: www.livingmoneywise.com, una plataforma de finanzas personales, emprendimiento y éxito personal, he podido construir mi marca personal, tener presencia online y obtener diversas fuentes de ingresos. Actualmente tengo mi propio segmento financiero en el programa hispano más visto de los Estados Unidos: "Despierta América", de la popular y reconocida cadena Univisión. Como ya sabes, también soy la creadora del único movimiento financiero a nivel mundial solo para mujeres #FinanciallyFitLatina, un movimiento que impulsa a las mujeres hacia la libertad financiera. Y todo esto gracias a mi página online y a la gran visibilidad que ha logrado tener. Hoy en dia vendo libros, programas financieros y un conjunto de productos y servicios, todos enfocados al progreso financiero de las personas.

Todo esto lo logré al tiempo que mantenía mi trabajo para una agencia estatal en el Estado de la Florida. Por experiencia propia, yo te recomiendo mantener tu trabajo actual mientras trabajas en tu negocio. Esto puede significar la posibilidad de ahorrar e invertir lo que ganas y ser el inversionista capitalista de tu propio negocio.

Yo dure casi dos años trabajando en mi negocio mientras mantenía mi trabajo de oficina. Te tengo que confesar que ese tiempo se me hizo eterno, y que tuve que hacer mucho esfuerzo para no odiar mi trabajo. Tenía días de mucha frustración y cansancio por llevar las dos tareas a la vez. Quería abandonarlo todo. Pero al mismo tiempo entendí que era un proceso que debía vivir y que la etapa de transición no iba a ser fácil. Y así lo mantuve por un tiempo, hasta que mi negocio empezó a crecer y a crecer y a generar los suficientes ingresos como para retirarme.

Por eso es importante, enfocarte en el lado positivo de tu situación actual, y buscar las cosas buenas de tu trabajo para que no termines con odio en tu corazón y puedas mantener la motivación y la buena energía. Los pensamientos negativos te roban tus sueños. Es fácil desanimarse y tirar la toalla.

Muchos emprendedores exitosos mantuvieron sus empleos de oficina mientras sus grandes empresas empezaban a generar dinero. Se fijaron pequeñas metas diarias y progresaron poco a poco. "Pasitos diarios" te llevan a grandes resultados.

COMO INICIAR TU PROPIO NEGOCIO SIN DINERO

Abrir tu propio negocio es la manera más gratificante de alcanzar tus sueños y encontrar tu realización personal. La realidad es que es más fácil abrir tu negocio cuando tienes ahorros acumulados, pero también es posible emprender un negocio sin dinero. Se necesita perseverancia, dedicación y creatividad para poner a trabajar tus talentos.

Tú también puedes comenzar tu propio negocio sin dinero, sin invertir y sin solicitar préstamos. He comenzado mis emprendimientos sin dinero y sin solicitar ningún crédito.

Solo tienes que estar listo a trabajar duro y tener confianza en sí mismo. Aprovecha esta oportunidad.

Construye un negocio exitoso sin dinero siguiendo estos consejos paso a paso:

1. Comienza tu Negocio Antes de Abrirlo:
Este consejo es uno de los más importantes a la hora de abrir un negocio. No hay que tener todo listo o todo perfecto para comenzar. No sabrás cuánto tiempo tardarás en obtener los resultados que quieres, así que es mejor comenzar mientras estés empleado para que puedas financiar poco a poco tu negocio. Busca clientes, comienza a vender tu producto o a prestar tus servicios. Lo importante es comenzar.

2. Aprende y Estudia todo acerca de tu negocio:
Conviértete en un experto en la materia. Prepárate bien y posiciónate como el mejor. Cuando creas confianza, tus clientes te verán como un profesional y no como un inexperto comenzando un negocio.

3. Amplia tu Circulo Social y Rodéate de Gente con la Misma Misión que Tu:
Rodéate de personas que compartan tus mismos objetivos y aporten a tu negocio de una manera positiva. Rodéate de empresarios que hayan comenzado sus negocios de la misma manera que tú. Busca un mentor que te ayude con su experiencia y conocimiento.

4. Comienza tu Negocio desde Casa:
 Inicia tu negocio desde casa. Antes de correr con todos los gastos que lleva tener una oficina, como alquiler del espacio, electricidad, empleados, es mejor que comiences desde casa. Para comenzar, solo necesitarás un espacio para la oficina, teléfono, Internet y empezar a buscar clientes.

5. Ten tu propio sitio en Internet:
Construye un blog, una página o espacio en Internet. Este es uno de los primeros pasos para comenzar tu negocio. Tu primer comercial es el Internet. Además de la satisfacción de haber construido mi blog con poco dinero, he podido obtener clientes, tener presencia online y construir mi marca personal.

6. Recluta tus primeros empleados:
Cuando veas que tus funciones se van acumulando y el negocio va creciendo, contrata tus primeros asistentes. Búscalos a comisión. Busca profesionales de venta, que trabajen o que vendan productos similares a los de tu negocio. Recluta buena gente para ayudar a crecer tu negocio.

7. Haz de tu negocio, tu empleo:
Analiza la situación de tu nuevo negocio. ¿Cómo ha crecido en los últimos meses? ¿Puedes crecer más? Si ves que tu negocio está creciendo, entonces es el momento de dar el siguiente paso: Alquilar una oficina. Después que adquieras la oficina, ten cuidado de enfocarte solamente en la decoración y descuidar tus clientes. Ahora tu empleo, es tu negocio.

8. Amplía tu red:
Ya que tienes tus clientes propios y tu negocio está creciendo, tienes que buscar la manera de aumentar las ventas de tu negocio. Haz conocer tu negocio a través de publicidad o campañas de mercadeo en las redes sociales. Toma ventaja de la tecnología y haz crecer tu red.

9. Tu negocio, tu éxito:
Si llegaste a este punto, es porque has tenido éxito. Te felicito y sigue adelante. Sigue tomando decisiones sabias y buscando herramientas para llevar tu negocio a otro nivel.

Consejos para Empezar tu Negocio Hoy

Tomar la decisión de trabajar por tu propia cuenta, no es fácil. Dar el paso de renunciar a tu trabajo, tampoco. Pero mientras más lo pienses, más te vas a demorar en ver tu sueño realizado. Si no se da el paso para comenzar ahora, nunca se dará. No hay que esperar el momento perfecto, no hay momento perfecto. Si entre tus propósitos está empezar tu propio negocio, aquí tienes 9 consejos para empezar que te ayudarán a organizar tus ideas y enfocarte al máximo.

Establece y escribe tus metas:
No es suficiente con desearlas. No es suficiente con quererlas. Se necesita acción. Después de establecer metas claras, debes plasmarlas en un papel y escribir con claridad cada cosa que quieras conseguir. Al comenzar cada año, defino mis metas y las escribo con claridad.

Después voy eliminando una a una a medida que se van cumpliendo. Escribir mis metas me ayuda a establecer un compromiso conmigo misma. Está comprobado que cuando escribes tus metas, la posibilidad de realizarlas se convierten en acción. Convierte tus deseos en metas y tus metas en planes que generen acción.

"Escribir tus metas aumenta la posibilidad
de alcanzarlas en un 1000%"
– Bryan Tracy

Organiza tu horario de trabajo:
Una vez hayas definido metas claras, establece un horario de trabajo para organizar tu tiempo y trabajar todos los días para lograrlas. Un buen emprendedor es organizado y diligente con su tiempo. El tiempo es dinero. Si malgastas tu tiempo, malgastas tu dinero.

Tienes que ser disciplinado con tu tiempo, así como con tu dinero también. Despierta cada mañana teniendo claro lo que vas a hacer. Prepara una lista con las cosas que tienes que hacer en orden de importancia y organiza tu tiempo.

"Escoger el propio tiempo es ganar tiempo."
– Sir Francis Bacon

Enfócate en lo que tienes y no en lo que te hace falta
No te enfoques en lo que te hace falta en este momento, como dinero, local, muebles, maquinaria, etc... Todo eso se necesita, pero identifica primero todos los recursos que tienes a mano: talentos, conocimientos, personas, muebles y equipos en casa. Mira tu entorno e identifica todo aquello que pueda contribuir para tu emprendimiento. Aprovecha todo recurso que tengas. Muchas grandes empresas empezaron de la nada.

Pregúntate:
¿Qué puedo hacer con los recursos que tengo para empezar mi negocio? Te sorprenderás con todo lo que puedes obtener. "Si realmente quieres hacer algo, encontrarás la manera. Si no, encontrarás la excusa."

Rodéate de emprendedores con la misma pasión que tú
Únete o crea un equipo ganador. Personas que tengan la misma visión que tú, que estén dispuestos a emprender y dar la milla extra cuando de negocios se trata. Encuentra personas que compartan tus mismos ideales y objetivos y que tengan la misma pasión que tú para encontrar el éxito.

Dedica toda tu energía a lo que realmente te apasiona:
Puede que tengas varias ideas en tu cabeza dando vueltas y no sepas por dónde empezar. Pero tienes que buscar algo que realmente te apasione como para dedicarle todo tu tiempo,-

esfuerzo y energía. Puedes aplicar la técnica de Robin Sharma: "90/90" que consiste en dedicar 90 minutos diarios en la mañana durante 90 días a un objetivo que quieras lograr. Prepara tu plan diario y enfócate sin excusa a desarrollar tu proyecto durante esos 90 días.

"No lo consigues con desear. No lo consigues con mirar.
No lo consigues con solo soñar. No lo consigues fácilmente.
Lo consigues cuando te levantas, cuando te esfuerzas
por tu objetivo, cada segundo, cada hora, cada día
por el resto de tu vida."

Relaciónate con personas que te empujen hacia el éxito:
Crea relaciones que te permitan desarrollar tu potencial y capacidad al máximo. Un buen emprendedor sabe crear vínculos y desarrollar relaciones con otros emprendedores. Asiste a conferencias, talleres, seminarios, eventos. Relaciónate con emprendedores, expertos o mentores que puedan aportar más a tu vida profesional. Nunca pierdas una oportunidad de asistir a una conferencia relacionada con tu profesión. No sabes a quien puedas conocer que te pueda brindar una buena oportunidad de trabajo.

"Rodéate de gente que te empuje hacia la cima y no de gente
que te empuje hacia el fondo."

Encuentra un mentor que te ayude a emprender
Hay empresarios y emprendedores exitosos que disfrutan compartiendo su conocimiento y experiencia. Aprende de los mejores. Aprende lo mejor. Si no encuentras uno a tu alrededor, sigue un profesional que te inspire y te motive en las redes sociales.

Suscríbete para recibir sus correos. Síguelo en Facebook. Envíale un twitter. No temas pedir consejos.

> "Ten cuidado a quien pides consejo. Yo recibo consejos de personas que están donde yo quiero llegar."
> – Robert Kiyosaki

Aprende y edúcate en todo momento

Un emprendedor exitoso está siempre dispuesto a aprender cosas nuevas. No importa cuán bueno seas en lo que haces, tienes que estar dispuesto a aprender más. Aprende todo lo que puedas sobre lo que estás haciendo. Lee, asiste a seminarios, conferencias, toma cursos, adquiere licencias, todo aquello que te aporte positivamente a tu vida profesional y laboral.

> "No necesitas saber todo cuando empiezas un negocio… pero si debes estar dispuesto a aprender más."

Lánzate al mercado y publica tu idea:

A veces nos demoramos en emprender por el miedo a fracasar o por esperar el momento o la idea perfecta. Como lo mencione antes, no hay un momento perfecto. No hay un producto perfecto. Lo mejor es lanzarse al mercado e ir desarrollando y aprendiendo a medida que se identifican las necesidades de los clientes. No lo pienses tanto, aprenderás a medida que tu proyecto se vaya desarrollando. ¡Pon en marcha tu emprendimiento y lánzate a tu éxito!

> "Si cuando lanzas tu idea al mercado no te avergüenzas completamente, es que la has lanzado demasiado tarde."
> – Reid Hoffman, Founder of LinkedIn

Invierte en bienes raíces

Invertir en bienes raíces es una excelente inversión que consite en comprar un inmueble tal como un apartamento, una casa, o un local comercial, y luego venderlo o rentarlo. Al invertir en bienes raíces adquieres un inmueble para rentarlo inmediatamente o esperar que su valor aumente para luego venderlo. De la misma manera, puedes comprar un terreno para construir y luego vernderlo o rentarlo.

Solo quiero que tengas cuidado y te asegures de hacer un negocio bueno para ti. El famoso actor norteamericano, ganador de un Oscar, Nicolás Cage, era una de las celebridades mejor pagadas del planeta. El llegó a ganar hasta 40 millones de dólares en un año. Durante los casi 30 años de estar Cage trabajando en el mundo del espectáculo, se dice que sus películas han recaudado un total combinado de 4.700 millones de dólares. ¿Cómo puede ser posible que este hombre se fue a la quiebra en el 2009? La respuesta es, debido a Inversiones no muy bien pensadas en el campo de los bienes raíces.

Así que, aunque es un negocio muy rentable, aquí te dejo algunas sugerencias de cómo asegurarte que no te suceda lo que le sucedió al señor Cage:

- Para que sea buen negocio, debes comprar barato, en el momento que no hay burbujas en el mercado, tal vez lo mejor es una propiedad que necesite algo de arreglo. Luego, debes arreglar la propiedad con inteligencia, y venderla rápido si tomaste una hipoteca para comprarla. El invertir en bienes raíces que necesitan reparación, es en gran parte, un juego de matemáticas, pero realizado de la manera correcta los beneficios son significativos para aquellos dispuestos a asumir el desafío.

• Otra estrategia que puede ayudarte a ganar riqueza financiera rápidamente a través de bienes raíces es mediante la compra de propiedades multifamiliares que producen flujo de efectivo mensual significativo. Este flujo de caja se puede ahorrar y reinvertir en otras propiedades, creando un efecto dominó o de bola de nieve que te permitirá crecer exponencialmente tus inversiones de bienes raíces.

Cómo encontrar el tiempo para empezar tu negocio

Es importante que si quieres mantener tu trabajo y al mismo tiempo atender tu propio negocio, entiendas que necesitas manejar bien el tiempo. Como lo aprendiste en el capítulo cinco, no desperdicies tu tiempo. Convierte tu tiempo en riqueza. Aprovecha cada momento que tengas para trabajar en tu negocio.

Otro punto en tener en cuenta para que sea viable tener tu negocio y mantener tu trabajo actual es escoger un negocio pequeño que tenga las características que lo haga perfecto para ti.

Cualidades ideales de un negocio

• Que puedas trabajarlo desde tu casa.
• Trabajar medio tiempo.
• Que tenga el potencial de hacer mucho dinero.
• Que no necesite maquinaria costosa.
• Que no necesite inventario grande si es posible.
• Que no necesite empleados, solo subcontratar tareas.
• Que necesite una inversión pequeña para comenzar.
• Que no necesites viajar o ir fuera de tu territorio para lograrlo.
• Que no necesites licencias caras o grados especiales.
• Tu negocio satisface una necesidad humana básica.
• Tu negocio es algo que va alineado con tus habilidades y talentos.

OTRAS OPCIONES DE NEGOCIOS

A continuación te comparto una lista de ideas de negocios rentables que puedes empezar con poca inversión y con grandes posibilidades de éxito. Escoge las ideas que más te apasionen y que puedas empezar a trabajar.

Negocios para Iniciar desde casa	Negocios de Servicios B2B	Negocios de Personalización
Fotografía	Asesoría a pequeñas empresas	Experiencias inolvidables
Abrir un restaurante - Negocio de comida	Diseño pagina web	Estilo a la medida
Servicios de consultoría	Consultoría y gestión de marca	Regalos corporativos
Montar una heladería	Servicio selección y contratación empleados	Menú al gusto
Asistente personal	Consultoría Social Media	Vinos de tu propia mesa
Planificación de fiestas	Servicios de redacción de planes de negocio	Diseño Ropa - Accesorios
Negocios online - Blog - Tienda virtual	Gestión de eventos	Cuadernos - agenda personalizadas
Elabora -vende lineas cosméticas / velas	Escritor freelance	Dulces con marca
Abrir una guardería	Negocio de consultoría	Albumes, calendarios, carteras personalizadas

193

Día 19

Pasos para un negocio exitoso

"La abundancia no es algo que adquirimos,
es algo a lo que nos sintonizamos".
- Wayne Dyer

Robert Kiyosaki, famoso inversionista y millonario, se retiró a la temprana edad de 47 gracias a la columna de inversiones, activos acumulados y bienes raíces que creó y que actualmente producen riqueza automática para él.

Kiyosaki dice que la mayoría de los empleados viven solo para trabajar, pagar cuentas, bajo sus posibilidades y consiguen un trabajo seguro solo por los beneficios quedando atrapados en una carrera a la que él llama: "Carrera de Ratas". Según Kiyosaki, la gente trabaja para el dinero, pagar cuentas y se pasan la vida girando y corriendo en una jaula como "ratas" tratando de salir de esa jaula llamada trabajo, pero nunca lo consiguen. Quedan atrapadas en la esclavitud de las deudas y el trabajo.

Tengo que confesar que cuando conocí y escuché por primera vez acerca del concepto de la "Carrera de Ratas" quede impresionada y produjo en mí una sensación de tristeza y desconsuelo. Desde ese momento, visualizo a la mayoría de las personas a mí alrededor atrapados en la "Carrera de Ratas", ahogados en las deudas, viviendo cheque a cheque y corriendo como "animalitos" en esa jaula tratando de salir, pero de la que nunca logran escapar. Viven para trabajar, el dinero los controla, no toman vacaciones, destinados a ser pobres y ahogados en deudas.

Según Kiyosaki, este es el cuadrante del flujo de dinero. El dinero se mueve así:

95% POBRES	5% RICOS
EMPLEADO	**DUEÑO DE EMPRESA**
- Controlado por un jefe	- Crea un negocio que trabaja
- Trabaja para el dinero	para el
- 100% de su esfuerzo	- Tiempo y horario flexible
- Dinero limitado	- No tiene que invertir 100%
- Tiempo limitado	de su esfuerzo
- 8-10 horas diarias	- Delega en su equipo
- Trabaja 40 años por una	- Logra la libertad financiera
jubilación	
EMOCIÓN: SEGURIDAD	EMOCIÓN: LIBERTAD
AUTO-EMPLEADO	**INVERSIONISTA**
- Trabaja independiente	- Invierte en activos, bienes
- Trabaja para el dinero	raíces, otras ideas, bolsa valores
- 100% de su esfuerzo	-No invierte el 100% de
- Si no trabaja, no gana	su esfuerzo
- Tiempo limitado	- Tiempo y horario flexible
	- Logra la libertad financiera
EMOCIÓN: MIEDO	EMOCIÓN: RIESGO

¿EN QUÉ LUGAR TE ENCUENTRAS TÚ?

EMPLEADO

Trabajas 8 horas diarias, 7 días a la semana para un empleador que te paga un salario mensual. Cuando utilizas el 100% de tu esfuerzo, no tienes libertad financiera. Tu dinero es limitado y es controlado por tu jefe. Trabajas para recibir una jubilación después de 30 años de trabajo. Trabajas para el dinero. Emoción: SEGURIDAD.

AUTOEMPLEADO
Eres un trabajador independiente o tienes un pequeño negocio. Si dejas de trabajar, no recibes remuneración. Tienes más responsabilidad y tu tiempo es limitado. Para ganar dinero, tienes que invertir el 100% de tu esfuerzo. Trabajas para el dinero. No tienes libertad financiera. Emoción: MIEDO.

DUEÑO DE NEGOCIO
Construye tu propio negocio y un sistema que trabaja para ti. Tienes tiempo y horario flexible. Buscas un equipo que trabaje para ti, no dependen 100% de tu esfuerzo. Alcanzas la libertad financiera de 2 a 5 años. Emoción: LIBERTAD.

INVERSIONISTA
Tienes inversiones de bienes raíces, en negocios de otros, en la bolsa de valores. El dinero trabaja para ti. No tienes que trabajar duro y pagas menos impuestos. Solo el 1% de la población se encuentra en este cuadrante. Alcanzas la libertad financiera. Emoción: RIESGO

Recuerda que la idea y tu propósito es emprender y que tengas tu propio negocio.

5 Pasos fundamentales para Emprender un Negocio Exitoso

Muchas personas en el mundo han comenzado nuevos proyectos y se han convertido en dueñas de su propio negocio. ¡Tú también puedes ser uno!

Como ya sabes, la mejor manera de conseguir la independencia financiera y laboral es fundar tu propio negocio, ser tu propio jefe y alcanzar el éxito por tus propios medios. Los beneficios de tener tu propio negocio son muchos: También puedes desarrollar tus propias habilidades y talentos y fijar tu propio horario. Si ya tienes una idea, solo tienes que lanzarte. Aquí te comparto 5 pasos para emprender un negocio exitoso y lograr el éxito financiero en tu vida.

Paso 1: Escribe un plan de negocios
Un plan de negocios es un mapa vital y fundamental para tu éxito empresarial, es una declaración formal del conjunto de objetivos de tu idea o proyecto. Muchos emprendedores lo pasan por alto, pero tener un plan de negocios es tener una guía escrita que te ayudará a diseñar el comienzo y la gestión de tu negocio con éxito. Este es un documento en general que proyecta de 3 a 5 años hacia delante y describe la ruta que tu empresa tiene la intención de tomar para el futuro y hacer crecer sus ingresos.

Consta de un resumen ejecutivo, descripción de la empresa, análisis de mercado, plan de marketing y financiación.

Cómo crear un plan de negocios

Los siete componentes que debes tener en tu plan de negocios incluye:

- Resumen ejecutivo
- Descripción del negocio
- Análisis de mercado
- Gestión de la organización
- Estrategias de Ventas
- Requisitos de financiación
- Proyecciones financieras

Todos estos elementos pueden ayudarte a construir tu negocio, además de mostrar a los prestamistas y potenciales patrocinadores que se tiene una idea clara de lo que está haciendo.

Paso 2: Define la estructura legal de tu negocio

Decide cuál es el tipo de estructura de negocio que te sirve más y que te trae más beneficios económicos y legales: Ser propietario único, una sociedad, Sociedad de Responsabilidad Limitada (LLC), corporación, corporación de tipo S, sin fines de lucro o cooperativa. Recuerda que la estructura empresarial que elijas ahora tendrá consecuencias legales e impositivas. Conoce y averigua con tu contador, los diferentes tipos de estructuras empresariales y encuentra la que mejor se ajuste a tu nueva empresa. Esto es muy importante.

Paso 3: Obtén licencias, permisos y regístrate para los impuestos de tu empresa

Es muy importante que averigües y obtengas las licencias y los permisos requeridos para tu negocio a nivel federal, estatal y local. No pases esto por alto. Regístrate con tu estado para obtener un número de identificación fiscal y federal para tu empresa. Determina tus obligaciones impositivas estatales y federales desde el principio. Para llevar los impuestos de tu negocio, busca herramientas fáciles y convenientes que te ayuden a estar preparado y a ahorrar dinero.

Paso 4: Separa tus finanzas personales de tu negocio

Todo emprendedor debe ser disciplinado y organizado con su dinero. Conocer los números de tu negocio y saber manejar bien los datos financieros de tu empresa es vital, no solamente a nivel empresarial, pero también a la hora de querer conseguir un préstamo o un inversionista. Debes establecer una cuenta bancaria para tu negocio separada de tus cuentas personales. Este es uno de los pasos principales para poder conciliar el dinero y así mismo reducir los gastos de tu empresa.

Paso 5: Lleva una buena contabilidad de tu negocio

Saber cuánto dinero entra y cuánto dinero sale es esencial para tu éxito empresarial. Todo emprendedor sabe que la buena organización de su contabilidad es esencial. Si sabes cómo funciona tu negocio a nivel económico, también puedes generar más ganancias o conseguir inversionistas. Y aunque llevar la contabilidad puede llegar a consumir mucho tiempo, es importante para llevar una administración transparente y organizada. Revisa y registra tus hábitos de gastos.

Busca una herramienta que te permita:

• La gestión de tus facturas:
Crear tus facturas de cobro (invoices) de forma sencilla y organizar ingresos y gastos por categorías. Un programa de facturación no sólo te permitirá una mejor gestión y control de tus ingresos y gastos y de los impuestos que pagas, sino que te permitirá llevar a cabo precisos informes sobre tu situación financiera y hacer proyecciones de tu negocio.

• Cuidar el flujo de efectivo:
Muchos emprendedores se obsesionan solo en vender, ganar clientes y generar ingresos, pero se olvidan del proceso de cobranza y cuidar el flujo de efectivo de su negocio. Para consolidar tu empresa, controlar el dinero en caja te ayudará a tomar mejores decisiones financieras de tu empresa. Para tener más flujo de efectivo positivo en tu negocio, debes aumentar las entradas y disminuir las salidas, es decir, mejorar la entrada de dinero.

CLAVES PARA EMPRENDER TU NEGOCIO ONLINE CON ÉXITO

Para muchos, emprender su propio negocio por internet y generar ingresos online es el sueño más grande que hayan podido tener. Y aunque este sueño no es imposible, se necesita de mucho esfuerzo y dedicación para crear un exitoso negocio por internet. Las razones más poderosas para emprender, es ser dueño de su propio tiempo y cumplir un propósito de vida. Nadie dijo que era fácil. Todo aquel que ha logrado construir su propio negocio o marca online, ha puesto en práctica una serie de características.

Basada en mi experiencia, te voy a compartir
7 claves para emprender tu negocio online con éxito

1- Cree en tu propio proyecto
Todo proyecto comienza con una idea y la disposición para lograrla. Tienes que estar dispuesto a desarrollar tu idea con pasión. Creen en ti, en tu idea y trabaja con determinación para construir tu propio mundo. Si lo puedes soñar, lo puedes lograr. No te dejes llevar por las mentes negativas ni por los mediocres. Mi blog empezó con una idea, y esa idea se convirtió en un proyecto fascinante.

> *"El tiempo, la perseverancia y diez años de intentos,*
> *eventualmente te hará ver como un éxito*
> *de la noche a la mañana"*
> *-Biz Stone, Cofundador de twitter*

2- Persevera, Persevera
No pretendas crear un negocio exitoso de la noche a la mañana. Si algo no funciona, inténtalo de nuevo y vuelve a intentarlo. Como toda empresa, hay que trabajar duro para construirla y se necesitan crear las condiciones ideales para hacer que funcione y comience a generar dinero. Intenta de nuevo, prueba nuevas ideas. Cambios pequeños pueden generar grandes resultados.

> *"Estoy convencido que la mitad de lo que separa a los*
> *emprendedores exitosos de los que han*
> *fracasado es la perseverancia"*
> *- Steve Jobs*

3- Permanece siempre dispuesto a aprender

Soy una persona que siempre está dispuesta a aprender. No solamente porque es mi característica, pero también porque quiero conocer a fondo todo acerca de mis proyectos. Si quieres emprender, tienes que estar dispuesto a dedicar muchas horas para aprender y conocer acerca de tu modelo de negocio.

"Vive como si fueras a morir mañana, aprende
como si fueras a vivir siempre"
- Gandhi

4- No temas equivocarte

Si algo no sale bien, no tengas miedo a equivocarte y volver a empezar. De los errores se aprende y se mejora. No temas a intentar algo por miedo a equivocarte. Muchos emprendedores exitosos fracasaron en su primer intento y lucharon hasta lograr su tan anhelado sueño.

"No te avergüences por tus fracasos, aprende de
ellos y comienza de nuevo",
- Richard Branson, fundador de Virgin Group

5- Asiste a seminarios y cursos de capacitación

Estar en constante aprendizaje es clave para cualquier emprendedor y para el crecimiento de una empresa. Con el rápido crecimiento de la tecnología, una empresa debe estar al día con las redes sociales y el mundo digital. Asiste a todos los seminarios que puedas. Invierte en ti mismo. Desarrolla tus capacidades y tu crecimiento profesional.

"¿Mi mas grande motivacion? Seguir reinventándome a mi
mismo. Veo la vida como una larga educación universitaria
que nunca tuve. Todos los días estoy aprendiendo algo nuevo"
- Richard Branson, Presidente de Virgin Group

6- No tengas miedo a inventar algo nuevo

Desarrollar una idea novedosa puede ser algo maravilloso. Puedes crear un concepto nuevo y convertirte en un genio. Puede ser que tu idea suene loca al principio, pero si estás seguro de tu proyecto, lucha por mostrarlo al mundo y crear un entorno positivo a tu favor.

"Una persona que nunca cometió un error,
nunca intentó algo nuevo"
- Albert Einstein

7- Siempre dispuesto a invertir

Quieres un negocio, pero no quieres invertir ni un centavo. Puede que encuentres muchos servicios gratuitos en la red, pero siempre tienes que estar dispuesto a invertir para recibir. Hay muchos servicios para los cuales no necesitas grandes cantidades de dinero. Comprar un dominio, buscar una compañía de hosting, contratar un diseñador, necesitas invertir en lo necesario.

"Para la mayoría de las cosas importantes, el tiempo siempre
es una lata. ¿esperas un buen momento para renunciar a
tu trabajo? las estrellas nunca se alinearán y los semáforos
nunca se pondrán en verde al mismo tiempo. el universo no
conspira en tu contra, pero tampoco se sale de su camino
para acomodar las cosas. las condiciones nunca son perfectas.
"algún día" es una enfermedad que llevará tus sueños a la
tumba. las listas de pros y contras son igual de malas. si es
importante para ti y quieres hacerlo "eventualmente",
sólo hazlo y corrige el curso sobre la marcha",
- Timothy ferriss, autor de "La semana de cuatro horas".

PLAN ESTRATÉGICO DE PROYECTO

Completa el siguiente plan estratégico de tu proyecto que es la herramienta clave y primordial para tu éxito como emprendedor. Este plan define el desarrollo de tu negocio y te servirá de guía para lograr tu crecimiento empresarial. ¡Manos a la obra!

IDENTIFICACIÓN DEL PROYECTO			
DATOS DE TU PROYECTO			
NOMBRE DE TU PROYECTO: Nombre de tu empresa o marca personal.			
UBICACIÓN GEOGRAFICA: Localización, ciudad, país.			
FECHA DE INICIO: Fecha de cuándo empezará legalmente			
DUEÑO (s) DEL NEGOCIO: Persona (s) jurídicas para formar la			
corporación.			
Nombre y apellidos			
Licencia o documento de identidad			
Dirección de domicilio			
Ciudad / país			
Teléfono			
E-mail			
Website			
Formación y Experiencia Profesional			
TIPO DE SOCIEDAD: Forma jurídica de la empresa: corporación, sociedad limitada, sociedad anónima, sin ánimo de lucro.			
FINANCIACION: Inversión inicial			
Financiación Propia			
Financiación / Préstamo			
CLIENTES POTENCIALES: Características del cliente, estudio demográfico, nacionalidad, ingresos, poder adquisitivo.			
PLAN DE MERCADEO: Promoción y publicidad, medios y costo aproximado, página web, periódicos locales, tarjetas de negocios, etc..			
PLAN OPERATIVO: Instalaciones, lugar de la empresa.			

Día 20
Protege tus activos y bienes

"El mejor momento para plantar un árbol es hace 20 años,
el segundo mejor momento es ahora"
-Dambisa Moyo

Asegurar nuestra vida, la de nuestros seres queridos y nuestro patrimonio, es la decisión más inteligente que podemos tomar. Lo más preciado que tenemos es la vida y la de nuestra familia, al igual que tu patrimonio que con tanto esfuerzo y trabajo has adquirido: Tu auto, tu casa, tu negocio, tus bienes. Muchas veces nos centramos solo en adquirir y construir activos y no le damos la importancia a protegerlos, a preservar lo que hemos acumulado. Tener asegurado tu familia y tus bienes te da paz mental. Es una de las mejores formas de no llamar al desastre financiero y familiar.

En tu vida diaria puede que desarrolles una cantidad de actividades que ponen en riesgo tu vida o tu patrimonio y que ponen en riesgo el futuro económico y la estabilidad de tu familia. Estamos expuestos a todo tipo de riesgos que pueden afectar la estabilidad familiar y financiera. Todo puede cambiar en un abrir y cerrar de ojos. Debes estar protegido, asegurar tu patrimonio familiar, autos, propiedades, tu negocio, seguros de vida, de salud y todo lo relacionado con la protección de tus bienes y lo más apreciado que tienes: tu familia. Quiero que sepas que el propósito de este capítulo no es asustarte ni mucho menos, pero concientizarte de su importancia y darte la información necesaria para que puedas brindar protección a tu familia.

Asegúrate a ti y a tu familia con un seguro de vida

El seguro de vida es una forma de proteger tu patrimonio y a tu familia. Si el dueño de la póliza muere antes de su vencimiento, los beneficiarios recibirán la suma asegurada. Otras variantes de la póliza de seguro pueden ser un componente de ahorro e inversión que podrán recuperar con o sin la muerte del titular.

Nadie realmente quiere pensar en el seguro de vida. Pero si alguien depende de ti financieramente, es un tema que no se puede evitar. En el caso de una tragedia, el producto del seguro de vida puede:

- Pagar los gastos de funeral
- Ayudar a pagar las facturas y cubrir los gastos de subsistencia
- Pagar la deuda pendiente, incluyendo las tarjetas de crédito y la hipoteca
- Continuar una empresa familiar
- Financiar futuras necesidades como la educación de sus hijos
- Proteja los planes de jubilación de un cónyuge

Obtener un seguro de vida no tiene que ser difícil (o aburrido). Sin embargo, lo mejor es buscar un agente que te ayude a navegar el proceso. Debido a que hay que tener en cuenta varios factores de acuerdo a la edad y los diferentes eventos de la vida, como tener hijos o comprar una casa, pueden afectar sus necesidades de seguro. ¿Por qué no empezar?

ACA ADVISOR es una agencia que sirve a la comunidad hispana a nivel nacional en los Estados Unidos, especializada en Seguros de Vida y de Salud y con la misión de prevenir y proteger a las familias de una catástrofe financiera, en caso de imprevistos como enfermedad grave o muerte. ACA Advisor es la forma más efectiva de afrontar con éxito los eventos no deseados, brindando a las familias la mejor protección, servicio y soluciones.

Su visión es educar al mayor número de familias en los Estados Unidos sobre la necesidad y beneficios de un seguro de vida y un seguro de salud.

Sus oficinas corporativas están ubicadas en la ciudad de Miami, Florida: 8000 NW 7 Calle, Suite 200, Miami, FL 33126. Puedes visitar su página en línea en www.acaadvisor. com y comunicarte por teléfono al (305) 265-8180 para más ayuda e información.

¿Por qué necesitas un Seguro de Vida que Paga en Vida?, ACA Advisor te lo explica:

• Para prevenir una catástrofe financiera en caso de una enfermedad de gravedad o fallecimiento.
• Para dejar una herencia, un legado de prosperidad y no deudas a tus seres amados.
• Para que acumules dinero como suplemento para tu retiro.

7 TIPS PARA ELEGIR UN BUEN SEGURO DE VIDA

1. **Define tu presupuesto.** Analiza tu salario y determina cuánto podrías destinar para el pago del seguro. Organiza tus ingresos y busca planes de pago cómodos para ti y tu familia.
2. **Busca asesoría.** Busca agentes de seguros que te guíen y que te muestren los diferentes planes de seguro y aseguren un plan a tu medida.
3. **Familiarízate con el vocabulario.** Conoce y estudia algunos términos para que te ayuden a tomar una buena decisión:

• Póliza: Es el documento que contiene las normas generales de tu seguro.
• Cobertura: Es el riesgo específico por el cual el seguro te protegerá.
• Prima: Hace alusión al costo del seguro.
• Suma asegurada: refiere al monto máximo que te pagará la compañía si ocurre el siniestro amparado.

4. Determina que quieres asegurar. Existen seguros de autos, de vida, desempleo, gastos médicos, de casa, inmuebles o personales. Prioriza tus necesidades y analiza quiénes son vulnerables o qué cosas quieres o debes asegurar.

5. Revisa tus opciones. La compañía aseguradora puede ser una empresa especializada o talvez un banco, analiza su trayectoria, credibilidad, presencia, precios y cuál es su fuerte en el sector. La compañía aseguradora debe contar con oficinas físicas, un sitio web y servicios de atención al cliente.

6. Compara precios. Compara precios y busca la mejor opción por el mejor precio. Evalúa las ventajas y desventajas de cada opción.

7. Determina Beneficiarios. Define el nombre y el porcentaje que se le otorgará a cada uno, recuerda que no pueden ser menores de edad. Evita tener intermediarios y trata de buscar asesoría legal.

Los beneficiarios en las cuentas financieras

La designación de un beneficiario de las pólizas de seguro y cuentas de inversión es sumamente importante. Los activos en tus cuentas de jubilación, tu dinero y otro patrimonio pasan directamente al beneficiario que hayas escogido, por eso es importante mantenerlo al día y actualizado. Si estás casado, algunos planes de jubilación por medio del empleador, designa automáticamente al cónyuge como beneficiario.

Mantén todo al día

Mantén todo al día, organizado y a la mano. Revisa tu póliza y tus seguros cada año, en la temporada de impuestos, o cuando ocurra un evento como un matrimonio, un divorcio, un nuevo trabajo, la compra de una casa o el nacimiento de un hijo. Revisa documentos, pólizas y beneficiarios. Los matrimonios, hijos o nietos, o la pérdida de un ser querido pueden tener un gran -

impacto en tu plan de vida. Proteger tu patrimonio es algo crítico, pero no complicado. Asegúrate de proteger todo por lo que has trabajado con tanto esfuerzo y a las personas que más quieres. Los eventos inesperados son parte de la vida y debes estar preparado.

Crea un testamento

Un testamento es un documento legal y un plan de sucesión esencial con respecto a la distribución de tus propiedades en caso de un fallecimiento. Sin un testamento, tus activos serán repartidos de acuerdo con los estatutos legales estatales y puede desencadenar involuntariamente problemas legales entre los miembros de tu familia.

5 Maneras Fáciles de Obtener y Ahorrar en Tu Seguro de Auto

Es importante que busques cobertura para tu auto de buena calidad. Más allá de contratar un seguro de auto a buen precio, es vital tener en cuenta la cobertura, póliza, alcances y los beneficios que te ofrece la compañía aseguradora. Cuando tienes un seguro de auto, conduces con tranquilidad, ya que, en caso de ocurrir un choque, un accidente o un robo, se contará con el dinero para costear los gastos.

La mejor manera de reducir tu póliza de seguro es manejar responsablemente. Es muy probable que estés gastando más dinero del que deberías. Lo primero que tienes que hacer es revisar tu póliza y vas a analizar el tipo de cobertura que tienes y lo que pagas. Llama a la compañía de seguro y averigua todos los descuentos disponibles. No temas en preguntar.

Como muchos de ustedes saben, comparto mis mejores consejos de "Finanzas y Ahorros" en el famoso programa matutino "Despierta América" por Univisión TV. En esta ocasión te comparto uno de mis segmentos con 5 maravillosos trucos para que puedas ahorrar en tu seguro de auto.

1- Aumenta tu deducible

Puedes aumentar tu deducible y ahorrar dinero en tu prima mensual. Mientras más alto el deducible, más barato el seguro. Por ejemplo, si incrementas tu deducible de $250 a $500, podrías ahorrar hasta un 40%. Si actualmente pagas $200 por tu seguro de auto, puedes ahorrar hasta $80 con solo ajustar tu póliza. Claro está, que para mantener este y otros descuentos, debes manejar responsablemente y no conducir a alta velocidad. Los accidentes y las multas son puntos en contra de tu historial de manejo y tu licencia de conducir.

2- Descuento de buen estudiante

Muchas compañías de seguros de auto ofrecen descuentos de buen estudiante, pero muchas personas no lo piden.solamente el 20% de las personas aprovechan este tipo de descuento. Para obtener este tipo de descuento, el estudiante debe estar entre 15 y 24 años de edad, ser un estudiante de tiempo completo de escuela secundaria o la universidad y mantener una calificación mínima de "B". Si tienes a tu hijo en tu póliza, aprovecha este descuento. Puedes ahorrar hasta un 25% de descuento.

3- Descuento por tener una póliza múltiple

Mientras más carros tengas en tu casa, mayor será tu ahorro. Si obtienes varias pólizas de seguro con la misma compañía, puedes obtener grandes descuentos. Por ejemplo, si tienes la póliza de seguro de hogar, seguro de auto y vida. Puedes ahorrar hasta un 25% por tener un paquete.

4- Descuento por tomar una clase de manejo defensivo

Muchas compañías ofrecen descuentos por tomar clases de manejo defensivo. Completa un curso de manejo defensivo que sea aprobado para ahorrar en tu seguro de auto. Los estudiantes y sus padres también pueden tomar el curso de manejo a la defensiva y obtener un descuento grande. Por lo general, este es un curso de 4 horas solamente.
Podrás ahorrar hasta un 20% en tu póliza de auto.

5- Descuento por hacer los pagos semestrales

Muchas compañías de seguro te ofrecen un mayor descuento si haces pagos semestrales en lugar de cada mes. Si haces pagos mensuales, el costo de tu póliza será un poco más alta. Si no puedes hacer tus pagos anticipados y no tienes el dinero completo, pregúntale a tu agente de seguro si ofrece la opción de hacer los pagos automáticos y obtener algún tipo de descuento. Si pagas cada seis meses, podrás ahorrar hasta de 35%.

EL TESTAMENTO COMO SEGURO PARA TU VIDA

El seguro de mayor importancia es proteger a tus hijos y tus bienes con un testamento. Prepárate para lo peor y te sentirás mejor. Aquí están las razones principales para tener un testamento.

1) Decide cómo se distribuirá tu patrimonio.

Un testamento es un documento jurídicamente vinculante que te permite determinar cómo deseas que tu patrimonio se maneje a tu muerte. Si mueres sin un testamento, no hay ninguna garantía de que tus deseos previstos se llevarán a cabo. Tener un testamento ayuda a minimizar cualquier pelea familiar sobre tu patrimonio que pueda surgir, y también determina el "quién, qué y cuándo" de tu patrimonio.

2) Decide quién se hará cargo de tus hijos menores de edad.

Un testamento te permite tomar una decisión informada sobre quién debe cuidar de tus hijos menores. A falta de un testamento, el tribunal se encargará de elegir entre los miembros de la familia o un guardián designado por el estado. Tener un testamento te permite nombrar a la persona que deseas.

3) Puede desheredar a individuos que de otra manera estarían heredando.

La mayoría de la gente no se da cuenta de que puede desheredar a los individuos de su testamento. Sí, tal vez desees desheredar a personas que de otra manera podrían heredar tu patrimonio si mueres sin un testamento. Debido a que los testamentos muestran específicamente cómo te gustaría que tu patrimonio fuera distribuido, tu patrimonio podría quedar en manos equivocadas o en manos de alguien que no tenía intención (como un ex cónyuge con quien viviste un amargo divorcio).

4) Hacer regalos y donaciones.

La capacidad de hacer regalos es una buena razón para tener un testamento porque permite que tu legado refleje tus valores personales e intereses. Además, los regalos de hasta $13.000 están excluidos del impuesto sobre bienes, por lo que también estás aumentando el valor de tu patrimonio para que tus herederos y beneficiarios disfruten. Asegúrate de revisar las leyes vigentes.

5) Porque puedes cambiar de opinión si cambian las circunstancias de tu vida.

Una buena razón para tener un testamento es que puedes cambiarlo en cualquier momento mientras estés vivo. Los cambios en la vida, como los nacimientos, las muertes y el divorcio, pueden crear situaciones en las que es necesario cambiar tu testamento.

6) Para evitar el estrés adicional en las familias durante un momento emocional

Puede ser conveniente reunirse con un abogado de planificación de bienes para ayudarte a elaborar un plan de bienes básicos, antes de que sea demasiado tarde. Asegúrese de leer lo que no debe incluir al hacer un testamento.

Usa la siguiente tabla para determinar cuáles seguros tienes en el momento y cuales te hace falta obtener.

PROTEGE TUS ACTIVOS Y TUS BIENES

TIPOS DE SEGUROS NECESARIOS PARA UNA BUENA PLANIFICACIÓN FINANCIERA	
Seguro de automóvil	
Seguro de vida	
Seguro de salud	
Seguro de propiedad	
Seguro de discapacidad	
Seguro de arrendatarios	
Seguro contra inundación	
Seguro de funeraria	
Seguro de patrimonio	
Seguro de accidentes	
Testamento	

Día 21
Establece tus metas financieras
de una manera "SMART"

"La tragedia en la vida no consiste en no alcanzar las metas.
La tragedia en la vida es no tener metas que alcanzar",
-Benjamin E Mays

¡Felicidades! ¡Ya llegaste al capítulo 21 de tu plan financiero de éxito! Y para que completes tu plan hacia tu éxito económico solo hace falta algo muy importante: TUS METAS.

El primer paso para alcanzar tus metas, ¡es tener metas! Esa es la diferencia entre la gente que ha logrado el éxito financiero y los que no. Una meta es el antecedente a la acción.

¿Por qué algunas personas no alcanzan sus metas financieras?

Muchos no tienen metas, no sueñan con conseguir nada. La mayoría de las personas tienen muchas cualidades y habilidades, pero alcanzar una meta de dinero no es una de sus metas. Y es que una de las razones porque las personas no logran la abundancia en su vida, ni logran conquistar la riqueza, es por qué no se fijan la meta de ser ricos o de crear abundancia.

Muchos se plantean la meta de conseguir un empleo estable, de trabajar, casarse, tener hijos. Nada más. Luego se quejan de que tienen que trabajar muy duro para sobrevivir y de que viven cheque a cheque.

La mayoría tienen problema en fijarse la meta de ser ricos, ¿Por qué? ¿Porque muchos creen que hacerse rico es malo? Entonces no existiría Mark Zuckerberg, millonario y creador de Facebook, ni Bill Gates, creador de Apple.

Algunas de las razones por las que muchos no han establecido metas:

- Le tienen miedo al fracaso
- No logran reconocer su importancia
- No saben cómo establecerlas ni que pasos tomar
- Le tienen miedo al compromiso
- Quieren una vida fácil y tener una meta requiere trabajo y esfuerzo de su parte
- Creen que ya tienen suficiente y no necesitan más

Las metas te ayudan a establecer tu destino financiero y enfocar toda tu energía mental para crear abundancia y lograr el éxito. Recuerda lo que aprendimos en la primera sección, todo empieza en tu mente, hay que transformarla hacia la abundancia.

Todo empieza allí. Luego establecer metas y trabajar para conseguirlas. Si quieres alcanzar la meta de ser millonario, debes establecerlo como meta y entonces lo conseguirás, y todo conspira a tu favor: El universo, Dios y la vida. Así que si en realidad quieres conquistar tu riqueza financiera, debes fijarte metas financieras poderosas y ambiciosas.

Las metas te dan:

- Motivación
- La oportunidad para aprender y avanzar en la vida.
- Dirección.
- Significado.
- Energía.
- Satisfacción.

Cuando trabajé para una de las agencias gubernamentales de los Estados Unidos, creía tener el trabajo "perfecto". Me sentía segura, estable y tenía estatus social, pero me sentía insatisfecha y no lograba sentirme identificada con mi propósito de vida. ¿Sabes por qué? Había alcanzado una meta muy importante, pero me quedé en el mismo lugar por muchos años.

Ya no tenía objetivos nuevos, ni metas trazadas nuevas. Al pasar del tiempo, me sentía frustrada y bloqueada. Sentía que no avanzaba. Era solo un número más. Mientras más productiva era, más ganancia generaba el gobierno y este ciclo parecía nunca terminar. Y entonces mi vida cambió enormemente. Empecé a establecer metas que me apasionaran y diseñar la vida que siempre soñé tener como empresaria.

Y en este, tu último capítulo del libro, vamos a aprender un método que es efectivo para establecer tus metas y objetivos financieros. Como hemos insistido en esta parte del libro, Las metas financieras son simplemente declaraciones sobre cosas que desearías lograr.

Por ejemplo, puedes tener la meta de establecer un fondo de ahorros de emergencia de $5,000 para finales del año. ¿Cuáles son sus metas financieras personales? Si tuvieras $20,000, ¿Qué harías con ese dinero? ¿Lo invertirías en un negocio? ¿Comprarías un automóvil? ¿Una casa?.

Hoy vamos a diseñarlos con la siguiente fórmula SMART. Es la manera más efectiva y rápida para diseñar y llegar a tus objetivos. Un obejetivo SMART responde a estas cinco preguntas:

1- ¿QUÉ? 2- ¿CUÁNTO? 3- ¿CÓMO?

4- ¿CON QUÉ?   5- ¿CUÁNDO?

Un ejemplo de un objetivo smart que contesta estas cinco preguntas es:

"Tendré un fondo de $30,000 dólares ahorrando $1,200 mensuales por 15 meses"

CARACTERÍSTICAS DE OBJETIVOS UTILIZANDO LA FÓRMULA SMART

Tu meta tiene que ser ESPECÍFICA
Tienes que expresar tu objetivo lo más específico posible. Si tu objetivo involucra dinero, indica la cantidad exacta: $5,000 $10,000. Si por ejemplo quieres una casa nueva, trata de ser lo más específico posible en cuanto a los detalles de la casa, como el color, la ubicación. Especifica cuando, donde y con que lo alcanzarás. Qué es exactamente lo que quieres, cuánto tiempo y dinero necesitarás para alcanzarlo.

Ejemplo:
Meta general: "Quiero salir de deudas".
Meta específica: "Voy a pagar la deuda con el banco por $5,000 en un término de 12 meses empezando desde hoy".

Tu meta tiene que ser MEDIBLE
Para cumplir tus metas, deben poder medirse. Una cosa es decir que pagarás tus vacaciones a Italia el próximo año y otra es que vas a pagar tus vacaciones a Italia en 5 cuotas libre de intereses entre marzo y julio del próximo año.

Ejemplo:
Meta general: "Quiero ahorrar dinero".
Meta específica: "Voy a ahorrar $500 dólares mensuales de junio a diciembre del 2016 para comprar los equipos de mi negocio".

Tu meta tiene que ser ALCANZABLE

Tus metas deben tener una fecha para cumplirlas. Si tienes una meta a largo plazo, por ejemplo, quieres tener tu casa paga en 10 años, esta meta ahora debemos dividirla en pequeñas metas a cumplir a corto plazo. Así es más fácil cumplir pequeñas metas y obtener resultados positivos.

Ejemplo:
Meta general: "Quiero comprar un auto".
Meta específica: "Voy a comprar un mercedes rojo modelo C-350 en mayo del próximo año".

Tu meta tiene que ser REALISTA

Es importante que determines objetivos realistas sin olvidarte de tus limitaciones. Si quieres ahorrar para un fondo de emergencia de $50,000 en 6 meses, determina si tienes la capacidad económica de hacerlo en ese periodo de tiempo y si no es un imposible para ti.

Ejemplo:
Meta general: "Quiero ser millonario"
Meta específica: "Construiré mi propio negocio de bienes raíces y alcanzaré la libertad financiera en un término de 2 años y ahorrando $1,000 mensuales".

Tu meta tiene que ser basada en TIEMPO

Es importante establecer un tiempo de margen que te ayude a cumplir la meta y establecer para cuando debe estar terminada. Sin fecha ni límite de tiempo no hay compromiso. Al establecer la fecha a cumplir la meta, tu objetivo adquiere un sentido de urgencia.

Ejemplo:
Meta general: "Quiero ir a París".
Meta específica:"Voy a ir a París el 25 de junio del próximo año".

Tu objetivo también deber ser expresado en positivo

Tienes que centrar tu atención en lo que quieres conseguir y no en lo que quieres evitar. Muchos de nosotros expresamos nuestras metas en relación con nuestra inconformidad, lo que nos hace pensar constantemente en lo que no queremos, y no en lo que realmente queremos.

Queremos evitar a toda costa lo que produce infelicidad en nuestras vidas y nos centramos en ello. Si estás constantemente pensando en lo que no quieres, estás centrando tu atención en eso. Por ejemplo, si uno de tus objetivos es dejar de gastar dinero para empezar tu ahorro, estas constantemente pensando en la idea de "gastar" y no en la de "ahorrar".

METAS FINANCIERAS PERSONALES

MES / AÑO
NOMBRE_____
FECHA_____

PLAN DE ACCIÓN PERSONAL

METAS A CORTO PLAZO (1 año o menos)

META	PRIORIDAD	FECHA LÍMITE	COSTO ESTIMADO

METAS A MEDIANO PLAZO (2-5 años)

META	PRIORIDAD	FECHA LÍMITE	COSTO ESTIMADO

METAS A LARGO PLAZO (5+ años)

META	PRIORIDAD	FECHA LÍMITE	COSTO ESTIMADO

Carta de la Autora

Te felicito por llegar hasta aquí, por tu compromiso y por tomar el paso hacia la conquista de tu riqueza. Fue un gusto acompañarte en este camino de aprendizaje hacia lo que será tu victoria y tu triunfo financiero.

"Conquista Tu Riqueza Financiera en 21 días" no es un libro más, es un plan completo de 21 días que contiene todas las claves y las herramientas efectivas que necesitas para lograr tus metas financieras y vivir una vida abundante. Puedes crear diversas fuentes de ingreso y crear activos que te permitan ser libre financieramente. Mi deseo es que hayas tomado la decisión de alcanzar tu éxito financiero hoy mismo y que tomes acción para hacerlo. Aprovéchalo.

Estoy segura de que lograras grandes cosas y de que te convertirás en una persona exitosa con el dinero y generadora de varias fuentes de ingreso. Que este libro sea el punto de partida hacia tu transformación financiera y el comienzo de un futuro próspero y abundante.

Recuerda que el cambio está en ti. Tú decides lo que quieres ser y a dónde quieres llegar. Por último, no olvides buscar de Dios para que obtengas siempre la verdadera riqueza: no solo la acumulación de dinero ni bienes materiales, si no el recibir bendiciones abundantes, vivir en amor y disfrutar de riqueza financiera y personal.

Mucho éxito para ti.

Con cariño,
Alexandra Ramírez

Acerca de la autora

Alexandra Ramírez llegó a la nación americana como inmigrante convirtiéndose hoy en una de las asesoras financieras hispanas más reconocidas de los Estados Unidos. Actualmente es la experta financiera del popular programa "Despierta América" de Univisión TV, la cadena hispana más vista de los Estados Unidos y en donde empodera a miles de personas hacia la libertad financiera.

Alexandra es la creadora de la exitosa revista digital financiera Livingmoneywise.com nominada a los prestigiosos premios "Tecla Awards" de Hispanicize como "Mejor Blog de Finanzas y Negocios". Es la fundadora también del único movimiento financiero para mujeres #FinanciallyFitLatina, creado para empoderar a las latinas hacia el éxito financiero e impulsarlas a desarrollar su potencial económico.

Se ha destacado en diferentes medios de comunicación, radio, prensa y televisión y es colaboradora habitual de diferentes revistas y periódicos. Alexandra ha sido galardonada como una de las "TOP Latinas Más Influyentes de la Nación Americana" por la importante organización LATISM, y nombrada como "Persona Más Influyente en las Redes Sociales" por los prestigiosos premios Miami Life Awards. Fue invitada al Capitolio Americano como Latina Influyente para trabajar por causas como la deuda estudiantil y encontrar maneras de reducirla y fomentar la educación financiera entre los estudiantes.

Alexandra poseé un título en Finanzas de la Universidad Internacional de la Florida (FIU) y es coach certificada de negocios y mercadeo, conferencista internacional, autora y empresaria.

Su pasión es ayudar a los hispanos a alcanzar la libertad financiera y ayudarlos a vivir un futuro mejor.

Para más información de los programas financieros, talleres, productos, seminarios de Alexandra Ramírez o para contratarla para tu próxima conferencia, puedes contactar:

www.livingmoneywise.com
www.financiallyFitLatina.com
www.alexandraramirez.net
info@livingmoneywise.com
/livingmoneywise
/FinanciallyFitLatina

Dedicados a proteger tu futuro y brindar seguros de vida que protegen tu seguridad y la de tu familia.

ACA ADVISOR es una agencia especializada en Seguros de Vida y de Salud, con la misión de comunicar la necesidad urgente de proteger a las familias de una catástrofe financiera. Su prioridad es el bienestar del cliente, brindándole el mejor servicio y producto, de acuerdo a su necesidad y presupuesto.

La visión de ACA Advisor es educar al mayor número de familias en los Estados Unidos, sobre la necesidad y beneficios de un Seguro de Vida y un Seguro de Salud.

ACA Advisor sirve a la comunidad hispana a nivel nacional en los Estados Unidos.

Oficinas corporativas:

8000 NW 7 calle, Suite 200
Miami, Florida 33185
(305) 265-8180
www.acaadvisor.com
Facebook - acaadvisor
Instagram - acaadvisor